LA CAPTIVE DE L'HIVER

« Marion des Pierres »

Né en 1951, Serge Brussolo se consacre au thriller, explorant le suspense sous toutes ses formes. Doué d'une imagination surprenante, il est considéré par la critique comme un conteur hors pair, à l'égal des meilleurs auteurs du genre, et certains n'hésitent pas à lui trouver une place entre Stephen King et Mary Higgins Clark. Il a reçu le prix du Roman d'aventures 1994 pour *Le Chien de minuit*, paru au Masque, et son roman *Conan Lord, carnets secrets d'un cambrioleur*, a été élu Masque de l'année 1995.

Grand maître des atmosphères inquiétantes, Serge Brussolo a également reçu le Grand Prix du jury RTL-*Lire* pour *La Moisson d'hiver* (éditions Denoël) en 1994.

SERGE BRUSSOLO

La Captive de l'hiver

ÉDITIONS DU MASQUE

CHAPITRE PREMIER

Le pressentiment l'avait assaillie tout l'après-midi, lui coupant parfois la respiration. Elle ne savait d'où venait cette peur étrange, cet étouffement qui lui avait fait, à plusieurs reprises, rejeter la tête en arrière pour aspirer un surplus d'air.

Il y avait eu des signes néfastes, depuis le matin. Trois corbeaux perchés sur la statue du saint patron de l'ordre, dans la cour de l'abbaye. Trois corbeaux curieusement sûrs d'eux, et que rien n'avait effrayés, ni les claquements de paumes, ni les cailloux lancés par les frères convers. Indifférents aux menaces, ils étaient restés là, hostiles, entêtés, couvant la population du moutier d'un œil ironique qui semblait dire : « Vous ne savez pas ce qui vous attend ! »

Leur présence avait d'abord agacé, puis inquiété. Marion, elle-même, avait à plusieurs reprises interrompu sa tâche pour regarder par-dessus son épaule. Chaque fois, elle espérait que les sinistres volatiles auraient disparu, chaque fois elle avait été déçue. Au bout d'un moment, elle avait même eu l'impression que les corbeaux la regardaient, *elle*, tout particulièrement. Étaient-ils venus là pour la surveiller ? Mais pourquoi ?

C'était absurde.

Il y avait à présent six mois qu'elle vivait à l'abbaye de Saint-Thélème. On l'y avait engagée pour assurer la réfection du lieu, malmené par les guerres provinciales, les querelles des petits barons du voisinage qui trompaient leur ennui en se cherchant noise. Elle en avait assez d'errer au long des routes, à la poursuite de Noctus, l'ange déchu... et surtout de Malestrazza, le guide qui les avait piégés, elle et ses compagnons de pèlerinage, dans l'affreuse aventure de l'arche de Noé clandestine [1].

Pendant des semaines, elle avait mangé de la poussière, traversant des campagnes arides, essayant de pister les hérétiques en fuite. Un soir, les reins rompus, les pieds en sang, elle avait décidé qu'il était temps de renoncer à ces chimères. Un artisan rencontré dans une auberge lui avait alors parlé de ce moutier situé en terre normande, au bord de la mer, où l'on engageait de bons tailleurs de pierre pour reconstruire la chapelle.

C'était un travail honorable, mal rétribué, mais Marion n'avait guère le choix. Les moines hésitèrent à lui confier des responsabilités parce qu'elle était femme, et elle dut leur prouver son habileté en rivalisant de prouesses avec les ouvriers déjà en place. Quand sa science de la pierre devint évidente, les artisans la détestèrent. Depuis qu'elle traitait les « grandes ymages » de la chapelle — saints et gisants —, ils ne lui adressaient plus la parole. Ils faisaient courir sur Marion des rumeurs odieuses, jalousaient son habileté, son art, et ne lui pardonnaient pas d'être meilleure qu'eux.

En trois mois, elle avait refait à l'identique des

1. Voir *Pèlerins des ténèbres*, du même auteur dans la même collection.

8

copies des anciennes effigies brisées, perfectionnant souvent le trait et donnant aux visages plus d'expression. Elle aimait ce travail solitaire, difficile. Le *tap-tap* du ciseau écaillant le bloc, creusant son sillon dans la résistance de la pierre. Elle adorait déployer des stratégies : ne jamais lutter contre le matériau, mais utiliser les obstacles pour générer de nouvelles formes. Ruser, contourner, rester souple. Ne pas tailler en brute épaisse qui veut vaincre à tout prix et s'agace de ne pouvoir aller vite.

Au reste, Saint-Thélème était dans un triste état. L'abbaye fortifiée voyait crouler ses murailles. La plupart des bâtiments portaient les traces d'incendies anciens.

— Nous n'avons jamais eu de chance, lui confia un jour frère Jacques, le cellérier. De tout temps, le moutier a été l'objet d'attaques sans pitié. Vingt, trente fois, les *lochlannach*, les hommes du Nord, nous ont assaillis. Ils venaient pour saccager les lieux de culte, massacrer les moines et voler les objets en métal précieux. Souvent, aussi, ils violaient les nonnes, ou les emmenaient pour les vendre sur les marchés d'esclaves, ou les offrir en tribut aux meilleurs guerriers. Pendant des dizaines d'années, les gens d'ici ont vécu dans la terreur de voir apparaître les voiles des drakkars à l'horizon. Et puis les incursions se sont espacées. On dit que la révélation de la vraie foi a fini par toucher ces barbares, les amenant à renoncer à leurs croyances primitives, à leurs dieux guerriers toujours assoiffés de sang. Quoi qu'il en soit, il y a un moment qu'on ne les a point vus dans les parages, et personne ne s'en plaint.

L'abbaye portait les cicatrices de ces combats. Elle avait l'air d'une cuirasse trop souvent rafistolée qui essaye de faire illusion, mais cédera au prochain coup de lance.

Marion n'avait pas l'habitude de la mer. Cette masse grise, toujours en mouvement, l'angoissait. Les cris des mouettes la harcelaient jusque dans son sommeil. Le vent, les embruns la faisaient grelotter. Fille des terres chaudes, elle devait s'emmitoufler pour résister à la morsure des bourrasques sablonneuses.

— C'est un mauvais endroit, lui avait confié une paysanne du hameau voisin. Une terre de malheur. La lande est pleine des âmes errantes de tous ceux qu'on a massacrés sur ces rivages. Il ne faut pas s'y risquer à la nuit tombée. La mer est mauvaise, elle avale les bateaux et les hommes. Il n'y a que les maudits drakkars qui échappent à son appétit.

Marion n'avait pas mis longtemps à se rendre compte que tout le monde, ici, restait sur le qui-vive. Une longue habitude des invasions avait inscrit dans l'esprit de chacun le réflexe de surveiller l'océan du coin de l'œil.

— On n'est pas en sûreté, marmonnaient les gardeuses de moutons. On sait que *ça* reviendra, c'est forcé, c'est écrit. Et rien ne pourra nous en protéger.

Les contes chuchotés à la veillée entretenaient cet état d'esprit, installant dans l'âme des jeunes comme des vieux l'évidence d'une fatalité contre laquelle ils restaient démunis.

— Mais enfin, protestait la jeune femme, personne ne vous a envahis depuis une éternité, n'est-ce pas ?

— C'est vrai, admettaient ses interlocuteurs, mais ça se reproduira, c'est obligé. Et plus le temps passe, plus le danger grandit.

Cette croyance était si chevillée en eux que Marion renonça à les convaincre du contraire. D'ailleurs, le pessimisme des villageois commençait à déteindre sur elle.

Elle n'aimait pas davantage les ricanements des mouettes qui paraissaient s'amuser des humains.

« Elles volent au ras des nuages, songeait l'ymagière, cela leur permet de distinguer des choses qui nous échappent. Elles voient venir les dangers de loin... et elles s'amusent de notre ignorance. »

À l'abbaye, elle ne s'était liée avec personne. Les compagnons auraient aimé la soumettre à leurs désirs, mais Marion prenait bien garde de ne jamais se retrouver seule avec eux lorsqu'un prêtre n'était point présent.

Les moines appréciaient son talent et le zèle qu'elle mettait au redressement de la chapelle, toutefois, ils auraient sans conteste préféré que ce tour de force fût l'œuvre d'un homme.

Marion se languissait. Dans un premier temps, elle avait vu dans cette retraite un moyen de se guérir de la fièvre instillée dans son âme par Malestrazza. Depuis deux mois, elle pensait moins souvent à lui. Il lui arrivait même de l'oublier l'espace d'un après-midi.

« Je cicatrise, se répétait-elle avec un triste sourire. Quand la blessure sera tout à fait refermée, je reprendrai la route. »

Les jours avaient coulé, monotones, dans cette atmosphère grise et humide de bord de mer. Marion avait dû apprendre à porter des vêtements poisseux, imprégnés de sel. À vivre dans l'odeur de cave des bâtiments éventrés. C'était nouveau pour elle qui n'avait jamais connu que le soleil, la poussière sèche, les pierres si chaudes qu'on n'ose les toucher de peur de se cloquer la paume. Ici, il pleuvait sans cesse. Sournoisement. Des averses aux gouttes si fines qu'elles transperçaient le camelin des manteaux.

Pendant longtemps, Marion avait pensé qu'il ne se passerait rien... *et puis les corbeaux s'étaient posés sur la statue du saint.* Des corbeaux qui n'avaient plus cessé de la regarder.

«Tu te fais des idées! s'était-elle répété. Ces oiseaux te fixent parce que le bruit de ton marteau attire leur attention, c'est tout. »

Hélas, d'autres s'étaient fait la même réflexion.

— Damoiselle Marion, marmonna le cellérier avec une grimace, on dirait que ces vilaines bestioles se sont prises d'affection pour vous. Ne pourriez-vous leur commander de s'en aller? Elles déshonorent notre saint patron.

La jeune femme céda à un mouvement d'humeur et répliqua qu'elle n'avait aucun pouvoir sur les volatiles en question. Le moine, vexé, s'en alla d'un pas raide.

Quand elle sortit pour se promener le long de la grève, elle rencontra Perrine, la petite gardeuse de moutons à la frimousse noircie de crasse.

— C'est mauvais, décréta d'emblée la gamine. Ce matin, un agneau à deux têtes est né chez mon maître. Il paraît qu'il avait des dents de loup et s'en était servi pour dévorer sa mère de l'intérieur. Il va se passer des choses mauvaises d'ici peu. Ça se sent à l'odeur du vent. Il a un parfum différent ce matin, tu ne trouves pas?

— Je... je ne sais pas, balbutia Marion, de plus en plus mal à l'aise.

— Si, si, renchérit la petite paysanne, moi je le sais. Quand on aspire à pleine poitrine, ça sent le fer. C'est quelque chose qui vient de la mer, et qui vient pour nous tuer.

Marion essaya de dissimuler un frisson. Instinctivement, ses yeux sondèrent l'horizon, mais la brume couvrait les vagues. Il était vain d'espérer voir au-delà d'un jet de flèche.

— Il faut réagir, hasarda-t-elle, s'organiser...
Pourquoi ne pas courir chercher refuge au château ?

La gosse haussa les épaules, comme si tout cela
était au-dessus de ses forces.

— Si c'est écrit, marmonna-t-elle, y a plus rien à
faire. C'est le destin.

Marion serra les dents, irritée par cette résignation
qu'on rencontrait trop souvent chez les humbles.
Cédant à une impulsion, elle s'agenouilla pour serrer
la petite bergère dans ses bras.

— Veux-tu venir dormir au monastère ? proposa-
t-elle.

La fillette se dégagea avec violence.

— Non ! glapit-elle. Quand ils débarquent, c'est
toujours par là qu'ils commencent...

— Qui ça ? interrogea Marion.

— Les *lochlannach,* les Vikings, haleta la
gamine. Ils arrivent.

— C'est idiot, s'emporta la jeune femme, aiguil-
lonnée par la peur. Ils sont devenus chrétiens. Il y a
vingt ans qu'on ne les a pas vus. Tu dis des sottises !

— Tu verras ! ricana la bergère en s'échappant.
Tu ne feras plus ta faraude quand ils te renverseront
dans la paille pour te passer dessus !

Son petit visage plissé par la malignité évoquait
celui d'un gnome. Elle tira la langue, fit une
pirouette, et s'en alla en poussant ses moutons à
flanc de dune.

— Petite peste ! siffla Marion.

Les Vikings ? Les récits de leurs expéditions prenaient aujourd'hui, dans la bouche édentée des
conteuses, la sonorité des légendes. Trop de temps
s'était écoulé. La religion les avait pacifiés. Non,
décidément, ça ne tenait pas debout !

La jeune femme haussa les épaules et revint sur

ses pas. Malgré elle, elle scruta l'horizon à la recherche d'une voile. Il était encore temps de fuir. Il lui suffisait de jeter ses maigres affaires dans un sac et de prendre la route sans tarder. Qu'est-ce qui l'en empêchait ?

Le travail ? La parole donnée ? Si elle s'enfuyait et qu'il ne se passe rien, les compagnons auraient beau jeu de proclamer qu'on ne pouvait placer sa confiance dans une femme. Elle se discréditerait.

Les moines demanderaient aux maladroits de terminer « ses » statues. Ils s'empresseraient alors de gâcher ses œuvres, de les enlaidir en les martelant comme des brutes. C'était cela qui lui tenait les pieds rivés au sol.

Elle regagna la chapelle les poings serrés, les yeux baissés pour ne point voir les funestes corbeaux agrippés à la tête du saint blanchie de fiente.

CHAPITRE DEUX

Elle travailla tard pour tromper sa nervosité. Elle dut s'arrêter quand les hommes lui crièrent de poser son marteau parce qu'ils voulaient dormir.

Il bruinait et Marion ne parvenait pas à se réchauffer. Les moines priaient. Ils affichaient de longues figures. Tous savaient qu'en cas d'attaque, l'assaillant n'aurait aucun mal à se glisser à l'intérieur de l'abbaye par les nombreuses brèches du mur d'enceinte.

La jeune femme se recroquevilla sur sa paillasse bourrée d'algues séchées. La voix de la prudence lui criait : « Pars ! Pars dans la nuit sans demander ton reste ! Demain il sera trop tard. »

Mais à l'idée de cheminer une nouvelle fois sans but, son courage s'émiettait. Sans compter que les routes étaient dangereuses pour une femme seule ; c'était déjà miracle qu'elle fût parvenue jusqu'ici sans subir de préjudice.

Elle ferma les paupières et s'endormit en frissonnant.

À l'aube, elle fut réveillée par un cri d'agonie. La brume recouvrait tout, épaisse, chargée d'une odeur d'iode. On n'y voyait plus à dix pas et pourtant un drame se déroulait à l'abri de cet écran. Des silhouettes s'agitaient, se débattaient. Un moine s'effondra aux pieds de la jeune femme, la bouche pleine de sang. Ce n'était pas un combat, plutôt une tuerie. Marion perçut les échos d'une langue qui évoquaient à ses oreilles les hurlements d'une horde de démons furieux. Elle songea aux Vikings. Ils avaient débarqué au point du jour, s'approchant très près du rivage grâce à leurs longs bateaux. Longtemps, ils avaient pratiqué ces attaques foudroyantes — les *strandhögg* — tuant, pillant, puis rebroussant chemin sans perdre de temps, pour se mettre hors de portée. Ils avaient la maîtrise de la mer; personne n'était en mesure de leur donner la chasse. À côté des drakkars, les navires du royaume de France faisaient figure de sabots, à peine capables de caboter le long des côtes. La haute mer les envoyait par le fond au premier grain.

Marion jeta ses outils dans sa besace de cuir et se saisit d'un marteau, bien décidée à se défendre.

Le brouillard marin offrait un excellent camouflage, toutefois, elle hésitait à sortir de sa cachette. Elle ne voyait rien mais percevait le bruit sourd des haches broyant les os, fendant les chairs. Les Vikings détestaient les chrétiens, et plus particulièrement les prêtres qui se prosternaient devant un dieu mis en croix, une victime clouée sur un instrument de torture. Cette religion relevait pour eux de l'aberration pure. Leur panthéon peuplé de divinités guerrières, féroces, excluait ce type de vénération. Les faibles n'y avaient pas de place. Pour cette raison, ils prenaient toujours un plaisir mauvais à massacrer ces moines qui refusaient de se défendre et préféraient mourir en marmonnant de stupides prières.

C'était un peuple terrible, de combattants acharnés, se moquant du danger, ignorant toute prudence.

Un peuple de prédateurs dont les exactions avaient marqué la mémoire des populations.

— Gloire à Dieu ! cria un moine désespéré. Aux hommes, paix sur la terre...

Marion se plaqua contre la muraille, derrière les statues restaurées au cours des derniers mois. Jetant un coup d'œil aux saints de pierre, elle songea : « C'est le moment ou jamais de me venir en aide. Vous me devez bien ça. »

Le brouillard était plein de cris gutturaux, de râles, de cavalcades. Marion se demanda si elle devait tenter de fuir ou bien se terrer quelque part. En se recroquevillant au creux d'une niche, elle avait une chance de passer inaperçue.

Elle n'eut pas le temps de battre en retraite. Soudain, une silhouette immense surgit de la brume. Un géant, casqué de cuir, le visage dissimulé par un nasal bosselé. Il puait le bouc, la sueur, le sang. Il brandissait une hache rougie. Sans même avoir conscience de ce qu'elle faisait, Marion le frappa à la face avec son marteau. Elle avait tapé de toutes ses forces, mais le colosse encaissa sans faillir. Du sang ruissela sur sa barbe blonde, il n'y prêta nullement attention. Sous le bourrelet du heaume, ses yeux ne quittaient pas le visage de l'ymagière. Il cria quelque chose, dans sa langue. Cela sonnait comme l'aboiement d'un chien de l'enfer. Il empestait la buffleterie, la crasse, la graisse d'arme, ainsi que cette curieuse odeur métallique qui accompagnait toujours les guerriers, comme si le fer dont ils étaient couverts exsudait une sueur de rouille.

« C'est fini, pensa la jeune femme. Je suis perdue. »

Elle savait que les Vikings avaient coutume de violer les captives. Celles qui survivaient étaient vendues comme esclaves et menaient une vie de bête de somme jusqu'à ce que l'épuisement les tue.

Si elle avait été plus courageuse, elle se serait jetée dans le vide du haut de la tour, comme le faisaient les nonnes dans cette situation. Au lieu de cela, elle demeura figée, son marteau stupidement levé. Elle songea qu'ainsi dressée sur ses ergots, elle devait offrir l'image grotesque d'une petite fille essayant de menacer un ogre.

Les guerriers ne riaient pas. Ils parlaient en manœuvrant pour l'encercler. L'un des trois cria un ordre, et les autres rengainèrent leurs épées, comme s'ils voulaient éviter de blesser la jeune femme.

Sans doute la trouvaient-ils assez jolie pour être vendue un bon prix ?

— Laissez-moi ! hurla Marion. N'approchez pas ou je vous casse la tête !

Ils fondirent sur elle, d'un même mouvement ; elle eut l'impression d'être coincée entre trois troncs d'arbre essayant de la broyer. Elle cogna au petit bonheur, sans obtenir le moindre résultat, alors elle essaya de les mordre, mais ses dents ne rencontrèrent que du fer, du cuir. Lassé de sa gesticulation, l'un d'eux la frappa à la nuque.

L'obscurité se fit dans l'esprit de Marion.

CHAPITRE TROIS

Quand elle reprit connaissance, son premier réflexe fut de porter les mains à son ventre. Contrairement à ce qu'elle craignait, elle n'avait pas été troussée, et reposait sur le dos, dans la cour du monastère. Au même instant, elle réalisa que ses mains étaient enfermées dans deux coquilles d'acier reliées entre elles par une chaîne. Elle s'assit pour examiner la chose. Ses mains se trouvaient chacune bouclée dans un gant rigide, dépourvu d'articulation. Ces moufles de métal ressemblaient à s'y méprendre aux gantelets d'une armure, à ceci près qu'on ne pouvait en faire remuer les doigts. Marion tenta de s'en débarrasser, la chose s'avéra impossible. Un système de bracelet à crémaillère permettait d'ajuster la circonférence de la moufle au plus serré ; le tout étant verrouillé à la manière d'une serrure.

À quoi cela rimait-il ? Elle n'avait jamais vu ce type d'entrave. Elle regarda autour d'elle. Des paysannes, des bergères et de jeunes garçons gisaient dans la paille, la figure barbouillée de larmes, les poignets liés par des cordes de chanvre. Sans doute étaient-ce là les captifs que les Vikings avaient choisi d'emporter au-delà des mers, vers les terres du Nord ? Un peu partout, les cadavres des moines se vidaient de leur sang, la bure troussée. Les guerriers achevaient de piller l'église. Ils mordaient dans les objets de culte pour s'assurer qu'ils étaient en or. Tout ce qui avait de la valeur était jeté en vrac dans de grands sacs de jute.

Une vieille femme aux cheveux gris se tenait agenouillée au chevet de Marion, le front ceint d'un bandeau de cuir. Des tatouages sinuaient sur ses bras, jusqu'à ses épaules. Marion supposa qu'il s'agissait de sentences en écriture runique... ou de formules magiques. L'inconnue semblait veiller sur la besace où l'ymagière avait coutume de ranger ses outils. Son air farouche aurait pu laisser croire qu'au lieu de ciseaux et de maillets, le sac renfermait un trésor.

Marion tendit ses poignets entravés dans sa direction, et la vieille se rejeta en arrière, comme si l'on brandissait sous son nez un serpent venimeux.

— Pourquoi? interrogea la jeune femme en agitant les gantelets.

— Tu ne dois pas bouger, grogna l'autre. Je suis Svénia, je parle ta langue. Je serai ta servante. Reste tranquille. Si tu bouges trop, les hommes auront peur de toi. Et ils n'aiment pas ça.

Marion la dévisagea sans comprendre. *Pourquoi les Vikings auraient-ils eu peur d'elle?* C'était absurde! Quel mal aurait-elle pu leur faire?

Elle n'insista pas, persuadée que Svénia maîtrisait mal la langue française et qu'elle avait voulu dire autre chose.

Les moufles d'acier pesaient lourd; elle dut les poser sur ses cuisses pour soulager ses avant-bras. Elle ne fut pas longue à remarquer qu'au moindre cliquetis des gantelets, les guerriers lui jetaient des regards inquiets. De quoi avaient-ils peur? Après tout, elle n'était qu'une fille aux mains liées dont ils auraient pu rompre la nuque d'un coup de poing.

Et pourquoi était-elle la seule à « bénéficier » de ce traitement alors que les autres prisonniers avaient été entravés au moyen de liens ordinaires ?

Tout cela sentait la méchante affaire de sorcellerie. Pour qui la prenait-on ?

« Mon Dieu ! songea tout à coup Marion. Ils s'imaginent sans doute que je suis l'une de ces saintes qui guérissent les malades par imposition des mains. Ils me prennent pour quelqu'un d'autre. Ils ont dû se tromper de monastère. Ils croient sûrement que l'Église va verser rançon pour me récupérer. »

Elle frémit. Quand les Vikings s'apercevraient de leur erreur, ils la tueraient, mais après s'être vengés de leur déconvenue. Elle ne savait que faire. Fallait-il détromper Svénia ou essayer de gagner du temps ?

Elle chercha à se rappeler si, plus bas, en un point quelconque de la côte, une abbaye abritait une faiseuse de prodiges dont la renommée aurait pu traverser les mers.

« Leur chef est peut-être malade, supposa-t-elle encore. Ils sont venus m'enlever pour me transporter à son chevet. Ils sont persuadés que je suis la seule à pouvoir le guérir. »

Une suée d'angoisse lui mouilla les tempes. Un tel quiproquo risquait fort de la mettre dans une situation impossible. Elle était ymagière, elle sculptait la pierre, elle ne traitait nullement les maladies.

— Tu dois rester tranquille, répéta Svénia. Ne touche personne, même avec les gants de fer. Tiens-toi à l'écart des hommes. Si tu as besoin de quelque chose, demande-le-moi. Je suis là pour ça. Tu dis, et je fais. C'est compris ?

— Oui, balbutia Marion qui, justement, ne comprenait rien.

Une odeur de fumée lui fit tourner la tête. Les hommes du Nord incendiaient l'abbaye. Ils avaient jeté des fagots au pied de l'autel pour faire flamber la longue silhouette de bois de ce crucifié qui les agaçait tant. Religion de victime, religion de moutons ! Comment ne pas mépriser un dogme où l'on vous conseillait de tendre l'autre joue à chaque nouvelle gifle ?

Des ordres claquèrent. Svénia se précipita pour aider Marion à se redresser. Elle prenait soin, dans ses manipulations, de ne jamais effleurer les moufles de fer.

— Appuie-toi sur moi, dit-elle. On va au bateau. Tu ne dois pas avoir peur. Les Vikings sont bons marins, les *skœiô* sont d'excellents navires, ils ne coulent jamais.

— Les quoi ?

— Les *skœiô*... c'est le vrai terme, les Français ont l'habitude de dire *drakkar*, mais *drakkar* signifie « serpent » ou « dragon », et désigne en réalité la figure de proue. Tu dois savoir cela maintenant que tu vas vivre avec nous.

Les guerriers frappèrent les prisonniers pour les contraindre à se lever. Marion parcourut du regard le troupeau des captives. Il était plein de visages familiers. Des paysannes du hameau voisin, Perrine la petite bergère, une gardeuse d'oies avec qui elle avait plus d'une fois devisé sur la plage, d'autres encore... La plupart pleuraient en reniflant, mais quelques-unes semblaient s'étonner du traitement dont l'ymagière bénéficiait. Pourquoi la soutenait-on comme une malade ? Pourquoi lui avait-on enfermé les mains dans des coques d'acier ?

— Ne t'occupe pas d'elles, souffla Svénia, c'est rien du tout. Elles ne comptent pas. Des esclaves, de la viande à plaisir pour les rameurs. On les emmène pour amuser les guerriers mais elles n'ont aucune importance. C'est toi que nous sommes venus chercher.

Marion se raidit. Ainsi ses doutes se confirmaient. Il y avait eu erreur sur la personne.

Anéantie, elle se laissa entraîner. Le feu crépitait. L'air se chargeait d'étincelles. Avant que le baron n'envoie la troupe vérifier ce qui se passait, les Vikings seraient loin.

— On était là depuis trois jours, ricana la vieille. Tu ne nous as pas vus, mais on te surveillait.

— Moi ? bredouilla l'ymagière.

— Oui. J'étais dans les dunes, derrière toi, tout le temps. On a débarqué avec une yole pour reconnaître les lieux et s'assurer que tu étais bien là. On a traversé la mer pour venir te prendre. Tu devrais en être fière.

Comme elle butait sur les mots, elle continua dans sa langue, si bien que Marion ne put rien saisir de son explication.

Le bâteau était ancré au bord de la plage. Sa coque de chêne, presque plate, étonnamment stable, permettait des prodiges. On pouvait même y transporter des chevaux et débarquer au grand galop sans jamais chavirer. Les planches des bordés, cousues avec des liens d'osier, étaient capable de subir les pires déformations sans jamais se défaire. Longs, interminables, construits grâce à des techniques qui n'avaient pas cours en France, les drakkars avaient une ligne reptilienne. Marion avait toujours vu en eux des serpents rampant à la surface des vagues. Les poètes nordiques les surnommaient *kenningar*, ce qui signifiait à peu près « cheval de mer ».

— Viens, dit Svénia. On a installé une tente pour toi, à l'arrière.

Ébahie, l'ymagière franchit la passerelle disposée à l'intention des captifs. Le vent du large lui cinglait le visage, tirait ses cheveux.

Svénia la tenait par le bras pour l'empêcher de perdre l'équilibre. Le long navire de trente-quatre bancs roulait, comme s'il était impatient de prendre le large. La jeune femme n'avait jamais navigué et elle fut surprise de sentir la coque danser sous ses pieds, agitée d'une vie propre. On se pressait de toutes parts, les captifs étaient jetés cul par-dessus tête depuis la passerelle. Les guerriers se dépouillaient des cuirasses pour prendre leur poste aux bancs de nage. Les soldats lâchaient les épées pour s'emparer des rames. À présent, il s'agissait de s'éloigner de la côte. Une fois au large, on ne risquerait plus rien.

Svénia guida Marion vers une petite tente dressée à la poupe. La jeune femme y pénétra en ayant conscience que les regards des autres prisonnières ne la quittaient pas.

L'abri se révéla tapissé de fourrures, de coussins. C'était de toute évidence un logement conçu pour un hôte de marque.

— Allonge-toi, dit la vieille femme. Nous avons du travail en perspective. Je dois t'apprendre à parler la langue viking pendant la traversée. Ne prends pas cette tâche à la légère, car personne ne comprend le français là où nous allons, et si je venais à mourir, tu ne pourrais attendre aucune aide des autres.

— Tu es une esclave ? demanda Marion.

— Oui, fit Svénia. Ils m'ont enlevée près d'ici, quand j'avais quatorze ans. En ce temps-là, je m'appelais Margot. C'est loin. Il me semble parfois que ça n'a jamais existé. Je n'ai pas été trop malheureuse. Quand on les connaît bien, on sait comment manœuvrer pour éviter leur colère. C'est pour

24

ça que tu dois m'écouter. Ta magie ne te protégera pas de tout. Mets-toi ça dans la tête. Ils sont emportés, colériques. Ils tirent leur épée d'abord et réfléchissent ensuite. Chez eux, les vertus masculines — et les défauts qui en découlent — sont portés à leur point culminant. Ne l'oublie jamais. Ils ne respectent que la force et le courage. Ils ne redoutent pas la mort. Leur seul but c'est de mourir au combat, l'épée à la main. Ils méprisent les vieux qui ont su se montrer trop prudents. Leur devise est d'être tué à la bataille avant d'avoir un seul cheveu gris.

Marion l'écoutait d'une oreille distraite. Par l'entrebâillement de la tente, elle suivait les mouvements de la horde guerrière. Tous ces hommes étaient jeunes. Peu d'entre eux avaient plus de vingt-cinq ans. Ils étaient vifs, précis, rompus à la discipline de la mer. Il ne leur fallut pas longtemps pour se saisir des longues rames et se mettre à souquer en cadence. Le drakkar s'arracha du rivage et piqua vers le large. Il grinçait de toutes ses membrures, dansait, plongeait dans les creux, puis se relevait. Le serpent à long cou ornant sa proue semblait alors cracher son venin en direction du ciel.

Les hommes ramaient en poussant des grognements rythmés. La houle était si forte que Marion avait du mal à tenir debout. Elle finit par perdre l'équilibre et roula sur le lit de fourrure.

— Reste tranquille, lui ordonna Svénia. Le *Byrr*, le vent soufflé par la bouche des dieux, va gonfler nos voiles. Si tu n'as jamais voyagé sur l'océan, tu vas être malade. Dès que tu sentiras ton estomac protester, dis-le-moi, je te ferai boire une potion qui calmera tes nausées.

Marion resta allongée sur le dos. Ses poignets entravés réduisaient sa mobilité et les gantelets de fer étaient lourds. Elle les laissa reposer sur son ventre.

Elle éprouvait une réelle culpabilité à bénéficier d'un régime particulier alors que les autres captifs avaient été entassés à la proue et grelottaient sous les éclaboussures d'écume. Elle regarda Svénia enfermer pieusement dans un coffre la besace de cuir contenant les outils de taille.

Par Dieu! Que s'imaginait-elle? Le sac ne recelait que trois maillets et un assortiment de gouges, de ciseaux... pas des instruments de culte!

Elle n'eut pas le loisir d'y penser davantage car les effets du mal de mer se firent sentir. La voyant pâlir et serrer les dents, Svénia commença à mélanger des liquides dans une coupe.

— Bois, commanda-t-elle. Ça va te faire tourner la tête mais tu échapperas aux vomissements. Certains captifs sont si malades qu'ils meurent au cours de la traversée, faute de pouvoir conserver la moindre nourriture. Si cela t'arrivait, Rök, notre chef, ne nous le pardonnerait pas. Il nous ferait mettre à mort, car nous avons voyagé à travers l'océan pour venir te chercher. Toi, et toi seule.

La vieille radotait, toutefois Marion n'eut pas le courage de protester. Une sorte de brume opiacée s'emparait de son cerveau. Elle s'abattit sur les coussins qui sentaient la chèvre. Le bavardage ininterrompu de l'esclave s'insinuait dans ses oreilles sous la forme d'une étrange mélopée.

— Rök est notre maître, répétait la servante. C'est le dernier représentant de la race viking, le seul à vivre encore selon les préceptes anciens. Tous les autres clans ont été contaminés par le christianisme. Cela s'est fait peu à peu, mais aujourd'hui, il ne se trouve plus qu'une poignée de vrais guerriers pour adorer les dieux du Walhalla, Thor, Odin... La puissance de la race s'est amoindrie. Les hommes du Nord sont désormais des marchands, la tête pleine de problèmes de boutiquier. Ils se déguisent en chrétiens pour se faire accepter des autres peuples. Ils portent en sautoir Mjollnir, le marteau de Thor, un emblème sacré qui, lorsqu'on le retourne, se change en croix! Quelle honte! Ils sont toujours rusés, certes, mais ne font plus peur. Rök n'est pas comme cela. Il laisse aux autres le soin de devenir vieux.

Sa voix vibrait de fierté, comme si la gloire de ceux qui l'avaient jadis enlevée rejaillissait sur elle.

« Mais ce sont tes geôliers... » faillit objecter Marion. Elle ne put le faire car sa langue s'empâtait.

— Nous ne sommes pas une tribu de marchands, insista Svénia. Nous ne nous contentons pas de sillonner le monde pour faire du commerce. Rök veut rester un pillard, un loup.

Marion ferma les yeux. La tête lui tournait. Elle aurait aimé que la vieille femme se taise.

— Tu verras, continua la servante, Rök est terrible, sans pitié, et ses colères sont imprévisibles. Il peut te trancher la tête ou la main si tu t'avises de le contrarier. Mais c'est parce qu'il est cruel qu'on nous respecte. S'il est content de toi, tu deviendras l'équivalent d'une reine. Si tu le déçois, il te fera périr dans les tourments les plus atroces. Je préfère te prévenir sans détour. Il attend beaucoup de toi, ta renommée est venue jusqu'à lui, par-dessus les mers. C'est pour cela qu'il a lancé cette expédition, commandée par son frère de lait Gunar-aux-yeux-rouges.

Assommée par la drogue, Marion n'éprouva qu'une vague crispation d'angoisse. Elle avait désormais la certitude que les Vikings n'avaient pas attaqué le bon monastère. Pour quelle sainte la prenait-on? Quelle maladie était-elle censée guérir?

« Ils vont me mettre en pièces, songea-t-elle du fond de son engourdissement. Dès que la supercherie sera découverte, ils se vengeront de leur déception. »

Que pouvait-elle faire sinon essayer de gagner du temps ? Elle tenterait ensuite de s'échapper au moment du débarquement... Mais comment ferait-elle pour survivre avec les mains enfermées dans des gantelets rigides ?

Elle finit par basculer dans un demi-sommeil. Le bateau dansait à la crête des vagues, mais elle ne souffrait plus. On avait rentré les rames, hissé la voile. La côte s'éloignait ; bientôt on ne verrait plus la terre. Cette perspective aurait terrifié Marion si elle s'était trouvée dans son état normal.

La potion, trop puissante, la faisait dériver à la lisière des songes, des présages. Elle n'eut pas conscience que la nuit tombait. Des cris la tirèrent de sa torpeur. Svénia lui expliqua que les guerriers « s'amusaient » avec les captives, comme ils en avaient l'habitude à chaque enlèvement. Les viols avaient pour fonction de briser la résistance des plus rétives. En les engrossant, on augmentait leur valeur, ce qui permettait de les vendre plus cher sur les marchés d'esclaves. Elle exposait ces choses avec détachement, comme si elle ne les avait pas elle-même subies, bien des années auparavant.

Le sentiment de culpabilité de Marion s'aggrava. Elle savait d'ores et déjà que ses compagnes de captivité ne lui pardonneraient pas d'avoir été traitée avec déférence alors qu'on leur avait imposé l'étreinte des guerriers.

— Ne t'en fais pas pour elles, ricana Svénia qui lisait dans ses pensées. Ce n'est pas aussi terrible qu'on se l'imagine. Plus les hommes sont excités, moins ça dure longtemps ! Et c'est toujours moins pénible que de se faire trancher la gorge.

Révoltée, ne sachant plus ce qu'elle faisait, Marion voulut sortir de la tente. Ses jambes s'affaissèrent et elle tomba sur le pont. La nuit marine était effrayante d'opacité. À part une torche qui brasillait quelque part à la proue, tout n'était que ténèbres, comme si le soleil avait sombré à jamais.

À travers le brouillard de la drogue, l'ymagière distingua des corps de femmes, nus, jetés en travers des bancs de nage, écartelés, forcés. Dans la lueur du brûlot, leur chair semblait d'une blancheur crayeuse de statue. Elle crut, un instant, que les Vikings forniquaient avec les effigies des saintes qu'elle avait sculptées au cours de son séjour au monastère. Elle voulut se relever, mais ses poignets entravés gauchissaient ses mouvements.

« Si je me jetais par-dessus bord, pensa-t-elle, le poids des gantelets m'entraînerait au fond. »

La noyade n'était-elle pas préférable aux tourments qui l'attendaient quand on découvrirait sa véritable identité ? Elle essaya de ramper vers le bastingage. Svénia la prit sous les aisselles et la ramena à l'intérieur.

— Que fais-tu ? gronda la vieille. Ce n'est pas un spectacle pour toi. Il te faut rester pure, aucune souillure ne doit t'atteindre, Rök l'a ordonné.

« Je ne suis pas celle que tu penses ! » faillit crier Marion. Elle bredouilla une protestation que les cris des femmes forcées rendirent inaudible.

Svénia l'installa d'autorité sur le lit de fourrure et lui fit boire une nouvelle coupe de potion.

Cette fois, Marion sombra dans le sommeil.

CHAPITRE QUATRE

Le lendemain fut jour de brouillard. Le drakkar filait à l'aveuglette dans cette purée de pois, le serpent de sa proue dressé pour tenir à l'écart les divinités de l'eau. Il faisait froid. Marion grelottait, la tête lourde des effets de la drogue. À l'avant, les captives se tenaient recroquevillées sous un auvent de toile imperméabilisée à l'huile de baleine. Certaines pleuraient, d'autres affichaient une expression morne, comme si leur corps n'abritait plus aucune âme. La petite gardeuse de moutons jeta à Marion un regard chargé de haine qui semblait dire : « Tu étais là, mais tu n'as rien fait pour m'aider. »

Débarrassés de leur accoutrement guerrier, les hommes paraissaient moins terribles. Toutefois, Marion les trouva plus grands que les Français, d'une blondeur surprenante. Presque tous portaient barbe et nattes. Ils la regardaient en coin, comme s'ils avaient peur d'elle. Quand elle se tournait vers eux, les plus jeunes se dépêchaient de baisser les yeux. C'était curieux — et délicieux — de se découvrir un pouvoir sur ces géants toujours prêts au carnage.

« C'est sûr maintenant, pensa Marion, ils me prennent pour une magicienne. »

Svénia la tira rudement en arrière.

— Ça suffit, grommela-t-elle. À quoi joues-tu ? Qu'est-ce qui te prend d'aller faire la belle devant les hommes ?

L'ymagière ne répondit pas. Une idée venait de lui traverser l'esprit : ne pourrait-elle pas s'assurer la complicité d'un guerrier pour fuir le bateau ? Elle avait eu l'impression fugitive que l'un d'eux — le plus jeune peut-être — la couvait d'un regard où brûlait un désir dévorant, une de ces envies que les mâles sont incapables de refréner et qui les conduisent aux pires sottises. Si elle ne se trompait pas, celui-là accepterait probablement de lui venir en aide. Mais il fallait faire vite, s'évader avant que le drakkar ne soit trop loin des côtes.

« Je n'ai guère le choix, se dit-elle, puisque la torture et la mort m'attendent au bout du voyage. »

— Tu ne dois pas faire ta coquette ! maugréa la servante en la contraignant à réintégrer l'abri de toile. N'oublie pas que je suis là pour te surveiller. D'ailleurs, aucun de ces garçons ne répondra à tes agaceries, ils ont trop peur de Rök.

Marion, elle, n'en aurait pas juré.

Dans les heures qui suivirent, elle dut se plier aux ordres de Svénia qui tint à faire sa toilette pour qu'elle reste présentable. Marion n'apprécia guère d'être lavée par une femme. Elle n'avait point l'habitude, à la différence des dames de la noblesse, d'être soignée par une servante.

— Les Vikings sont des gens propres, insista Svénia, pas comme vous, les Francs, qui croupissez dans vos mauvaises odeurs d'un bout de l'année à l'autre. Ils se lavent souvent et ne craignent pas l'eau. Une fois là-bas, tu devras veiller à ne pas paraître négligée. Rök déteste les souillons.

Marion dut se résoudre à se laisser manipuler. N'écoutant plus le soliloque de la vieille, elle bâtissait son plan.

La toilette achevée, il lui fallut encore se faire donner la becquée par Svénia. Les gantelets d'acier pesaient comme des boulets au bout de ses bras. Elle en avait assez de ne pouvoir remuer les doigts ou fermer le poing. « C'est comme si j'étais paralysée », se dit-elle.

Svénia appréciait manifestement son rôle. Quand la prisonnière eut mangé, elle décida de la coiffer et lui démêla les cheveux avec un peigne en os de cachalot. Elle nommait chaque objet en langue viking et forçait Marion à répéter les mots jusqu'à ce que leur prononciation soit parfaite.

— Tu dois comprendre qu'une nouvelle vie commence pour toi, chuchotait-elle. Avec un peu de chance, tu deviendras la compagne d'un homme important. Si ça se trouve, Rök lui-même te prendra dans son lit, comment savoir ? Tu es jolie, robuste, tout ce qu'il aime. Si tu veux, je t'enseignerai ses jeux amoureux préférés. Je connais ses goûts, j'ai souvent dormi au pied de sa couche pendant qu'il prenait du plaisir. Je te dirai ce qu'il faut faire. En échange, tu me garderas à ton service, même quand je serai impotente. Tu sais que là-bas on jette les vieillards et les malades du haut des falaises ?

— Non, avoua Marion.

— C'est vrai, murmura Svénia. C'est un peuple de jeunes gens ; féroces comme tous les jeunes gens. Les guerres, les querelles ne leur donnent pas le temps de vieillir. Ils sont égoïstes et se détournent volontiers des faibles, des infirmes, qui leur font horreur... Ils n'ont aucune pitié pour les anciens. Ils considèrent que le grand âge est l'aveu d'une vie placée sous le signe de la poltronnerie.

— Tu me l'as déjà dit ! coupa Marion que ces coutumes atroces mettaient mal à l'aise.

— C'est parce que je suis menacée, gémit la servante. Je voudrais te proposer un pacte. Je t'aiderai à survivre là-bas *si tu me protèges*. Il te suffira, par exemple, de feindre d'être incapable d'apprendre la langue du Nord. Cela suffira pour qu'ils me maintiennent à ton service.

— D'accord, soupira l'ymagière. De toute manière, ce ne sera pas un mensonge, jamais je n'arriverai à assimiler ce langage barbare. On dirait des aboiements, pas des mots !

Le brouillard se dissipa et Marion en profita pour essayer de distinguer la terre. Si elle la voyait, c'est qu'elle avait encore une chance de l'atteindre en nageant. Il suffisait pour cela de battre des pieds en s'accrochant à un tonnelet vide, ou à une vessie de porc bien gonflée. L'eau serait glacée, bien sûr, mais en s'enduisant de graisse, elle échapperait à sa morsure.

Elle soupesa ses chances. Elle ne pouvait plus attendre. Quand le drakkar serait en haute mer, la distance à parcourir deviendrait infranchissable.

Elle feignit de souffrir de nausées pour que Svénia la soutienne jusqu'au bastingage. Les hommes lui tournèrent aussitôt le dos, sauf un, toujours le même : le garçon aux longues tresses qui portait une cicatrice au-dessus de l'œil droit. Cette fois, Marion le regarda franchement, en essayant de mettre dans son expression une invite sensuelle. Elle n'avait plus le choix. Si quelqu'un pouvait l'aider à s'évader, c'était bien lui.

— Ça va mieux ? s'enquit la servante.

— Oui, oui..., mentit l'ymagière.

Elle scruta l'eau grise qui fouettait les flancs du vaisseau. Elle essaya de s'imaginer plongeant au creux des vagues glacées et nageant à l'aveuglette, dans les ténèbres.

Svénia la prit par le bras pour la contraindre à regagner la tente.

— Une fois que nous serons arrivés au terme de notre voyage, expliqua-t-elle, tu devras prendre l'habitude de ne jamais toucher les choses vulgaires. Tes mains seront considérées comme sacrées. Si elles effleuraient des saletés, elles perdraient instantanément tout pouvoir, et tu serais mise à mort... ou amputée au ras des poignets d'un coup de hache. Comprends-tu ? Ce que je dis là est très important.

— Oui, oui, fit Marion avec lassitude.

— Je te nourrirai, reprit la vieille femme. Je te laverai. Quand tu iras faire tes besoins, je t'essuierai. Pour toutes les choses de la vie normale, tu devras agir comme si tu n'avais pas de mains. C'est clair ?

— Non.

— Fais un effort, par les dieux ! Les Vikings ne plaisantent pas avec les choses de la religion.

— D'accord, d'accord. Je me comporterai comme si j'étais manchote. C'est cela que tu souhaites ?

— Oui, pour ta sécurité et ta sauvegarde. (Svénia hocha doctement la tête, satisfaite.) Au début, tu porteras ces gantelets d'acier. Ensuite, si l'on est content de toi, on te fabriquera des étuis moins encombrants. Tu devras les envelopper de fourrure, car il fait si froid là-bas que ta peau restera collée au fer si tu ne prends pas assez de précautions. C'est un pays terrible où il faut respirer à petits coups si l'on ne veut pas se geler les poumons. Même la lumière rend aveugle... Certains jours, on est forcés de se nouer un bandeau sur les yeux pour regarder le monde à travers une étoffe.

Marion ne la croyait qu'à demi. Elle se demandait si la vieille n'avait pas perdu l'esprit. Au reste, cela avait peu d'importance puisqu'elle comptait s'évader.

Elle avait déjà arrêté son plan. Elle prétendrait souffrir du mal de mer et demanderait à Svénia de fabriquer un plein pichet de cette potion qui provoquait le sommeil. Elle feindrait ensuite d'en boire, mais la verserait dans le tonnelet d'hydromel auquel la servante s'abreuvait tout le jour. Avec un peu de chance, l'esclave s'assoupirait avant la tombée du jour.

Dès lors, elle s'appliqua à jouer la comédie, et courut au bastingage en feignant la nausée. Chaque fois, elle en profitait pour chercher le regard du jeune homme aux tresses pâles. Il devenait nerveux.

Quand elle eut obtenu de Svénia le pichet de potion, elle suivit son plan à la lettre et se coucha sur le lit de fourrure en gémissant. Dès que la vieille s'absenta pour aller chercher de la nourriture, Marion souleva le couvercle du tonnelet et y vida le pot d'élixir. Désormais, elle n'avait plus qu'à attendre. C'était un plan tiré par les cheveux, mais elle ne disposait d'aucune stratégie de remplacement. En outre, depuis son passage chez les pèlerins, elle savait que les manœuvres les plus folles peuvent parfois réussir.

Elle n'avait pas grand-chose à perdre et le temps travaillait contre elle. Quand la côte serait hors d'atteinte, il ne serait plus question d'évasion.

Elle prit son mal en patience.

Comme prévu, après avoir ingurgité trois pintes d'hydromel, Svénia se tassa sur sa paillasse et glissa dans la somnolence. La nuit s'installait. Le long vaisseau poursuivait sa route dans les ténèbres, tel un serpent glissant à la surface d'un étang. Il faisait froid, humide. Marion attendait, crispée, prête à tout.

Enfin, une main écarta le pan de toile qui fermait l'abri. C'était le jeune guerrier aux nattes pâles. Il hésitait, les traits crispés, comme s'il avait peur d'aller plus loin. Marion ne comprenait pas pourquoi ce garçon impitoyable qui avait déjà tué des dizaines d'adversaires semblait terrifié par une fille aux mains enfermées dans des gantelets de fer, une captive qu'il aurait pu forcer sans mal en la bâillonnant, ou en lui posant une dague en travers de la gorge.

« Que lui a-t-on raconté ? se demanda-t-elle. Il me prend pour une déesse, une fée... Et c'est cela qui l'excite : forniquer avec une non-humaine. C'est là un exploit dont il pourra se vanter jusqu'à sa dernière heure. »

Elle n'osa lui faire signe d'approcher. Le garçon se glissa dans la tente. Il sentait l'homme ; de la sueur perlait à son front malgré le froid de la nuit. De toute évidence, il était plus impressionné qu'en montant à la bataille. La lumière du fanal, traversant la toile de l'abri, accentuait la sauvagerie de ses traits. C'était une belle brute, un jeune loup, un carnassier déjà endurci par les tueries. Une cicatrice lui ravinait la tempe droite, ouvrant un sillon dans sa chevelure sans réussir à l'enlaidir. Il s'immobilisa près de la couche, la respiration courte, et leva la main. Son regard fixe trahissait la crainte, la fascination de l'interdit. Il immobilisa sa paume au-dessus du ventre de Marion. Ses doigts tremblaient.

À l'aide des mots appris auprès de Svénia, l'ymagière tenta d'expliquer ce qu'elle attendait : « Toi... moi... barque... partir. » Elle répétait cette mélopée en s'appliquant. Le garçon la contemplait avec stupeur, la paume toujours levée.

« Que s'imagine-t-il ? songea Marion. Qu'une

déesse l'a choisi entre tous les mortels pour la seconder dans son périple ? »

Après tout, elle s'en moquait. En essayant de se redresser, elle agita la chaîne retenant les gantelets. Ce simple bruit fit sursauter le garçon et il scruta les moufles de fer avec une expression de terreur, comme si les mains de l'ymagière allaient se changer en d'horribles serres.

« Il faut en profiter, se répéta la jeune femme. C'est ta seule chance de t'en tirer. »

Elle murmura de nouveau : « Toi... moi... barque, partir... » en désignant la côte, mais le jeune guerrier ne savait que hocher la tête, les yeux écarquillés, n'en revenant pas de n'être point encore tombé en cendres.

Puis tout bascula, la toile fut écartée et trois silhouettes massives se ruèrent dans l'abri pour empoigner le barbare aux nattes pâles. Quelqu'un brandit une torche, aveuglant Marion. On s'empressa de vérifier qu'elle n'avait subi aucun outrage. La colère des Vikings éclatait en aboiements furieux. Celui qui commandait le groupe expédia son pied dans les côtes de Svénia, puis la saisit par les cheveux pour la secouer comme s'il voulait lui décoller la tête des épaules.

Le fautif fut traîné à l'extérieur, Svénia rouée de coups, puis la tente se referma et Marion se retrouva dans l'impossibilité de voir ce qui se passait sur le pont.

Les hurlements colériques du chef résonnèrent longtemps dans la nuit. Recroquevillée sur sa paillasse, reniflant sa morve, son sang et ses larmes, Svénia tremblait telle une chienne battue.

— Pourquoi as-tu fait ça ? hoquetait-elle. Il ne fallait pas l'attirer... C'est mal.

— Je ne l'ai pas forcé à venir, grogna Marion.

— Bien sûr que si ! répliqua la servante. Tu l'as regardé, je t'ai vue. C'était le mettre au défi. Un Viking est obligé de répondre à tout défi, sinon il perd son honneur aux yeux des autres, mais également à ses propres yeux. Il savait qu'il allait faire quelque chose d'interdit, qu'il allait trahir son clan... *mais il n'avait pas le choix*. C'était une obligation morale. Tu ne peux pas comprendre. Tu l'as pris au piège. Tu lui as dit « chiche ! », dès lors il se retrouvait dans l'obligation d'aller jusqu'au bout, même si cela devait lui coûter la vie.

Marion serra les mâchoires.

— Que vont-ils lui faire ? s'enquit-elle. Le tuer ?

— Je ne sais, murmura Svénia en s'essuyant le visage. Ils sont cruels. Il s'appelle Knut, c'est un grand guerrier, et il est cousin de Rök, notre chef, mais il a enfreint la règle. Il a voulu te toucher. Il aurait pu te souiller ; on ne le lui pardonnera pas.

— Va leur dire qu'il ne m'a rien fait, lança Marion. Je ne veux pas qu'on le tue. Va !

— Ça ne servira à rien, souffla la servante. C'est le principe qui compte.

— Va tout de même ! hurla Marion.

La vieille sortit, l'échine courbée. L'ymagière l'entendit palabrer d'une voix sans force dans la langue des hommes du Nord. De temps à autre, le coup de tonnerre d'un beuglement l'interrompait. Quand Svénia revint, elle dit :

— Tu as gagné, ils lui laisseront une chance. Si les dieux l'assistent, il survivra peut-être.

— Que vont-ils lui faire ? hoqueta Marion.

— Tu verras, soupira la servante en se tassant sur sa paillasse.

CHAPITRE CINQ

Le lendemain, aux premières lueurs de l'aube, les guerriers ordonnèrent aux deux femmes de paraître sur le pont.

Knut attendait, nu, au milieu de ses camarades de combat. Il n'était pas entravé et ne portait aucune trace de sévices. Dès qu'il vit Marion, il riva son regard à celui de la jeune femme comme s'il essayait de lui dire : « Ça n'a pas d'importance, je ne regrette rien, mais si tu es une déesse, c'est le moment ou jamais de m'aider. »

— Que va-t-il se passer ? murmura l'ymagière à l'adresse de Svénia.

— Ils vont l'attacher au bout d'une rame, marmonna la servante. L'une de ces longues rames dont on se sert pour faire avancer le navire quand le vent tombe. Ensuite, il sera tour à tour plongé et sorti de l'eau tout le jour durant, au rythme des rameurs. Il fera ce que fait la rame... Tantôt dans l'eau, tantôt hors de l'eau. Deux hommes manipuleront l'aviron. Au fur et à mesure qu'ils se fatigueront, Knut restera plus longtemps immergé. Quand ils n'auront plus assez de force pour tenir la rame au-dessus des flots, il se noiera. Voilà, c'est tout. On va lui laisser la possibilité de nommer les deux rameurs. Il peut bien

41

sûr choisir les guerriers les plus forts, mais ceux-là ne seront pas forcément ses amis et se soucieront peu de se rompre les tendons pour lui sauver la vie. S'il décide au contraire de remettre son sort entre les mains de ses camarades les plus chers, il ne bénéficiera pas obligatoirement des meilleurs souqueurs du bord.

— Quelles coutumes de fous ! cracha Marion.

— C'est ta faute, s'il en est là, riposta Svénia. Tu n'avais pas à le défier, que cela te serve de leçon.

Comme l'avait annoncé la servante, on lia Knut au bout d'une longue rame, la tête tournée vers le bas, puis on confia la hampe de l'outil aux deux rameurs installés sur le banc de nage. Les muscles noués, ils essayèrent de maintenir l'aviron le plus longtemps possible au-dessus de l'eau ; hélas le poids du jeune homme était trop élevé et il leur fallut bien se résoudre à relever les bras pour le laisser s'enfoncer dans les flots.

— Voilà, commenta Svénia. Ça va durer jusqu'au coucher du soleil. Si tu as des pouvoirs magiques, c'est le moment de les utiliser, sinon il sera mort avant midi.

Marion sentit le froid la pénétrer. Personne ne la regardait. Ni le capitaine du vaisseau, ni les guerriers installés aux postes de nage. Elle eut l'impression d'être devenue invisible. Le bruit des rames s'abattant en cadence avait quelque chose de déchirant. Elle ne pouvait détacher les yeux du corps nu du jeune homme, garrotté, ruisselant, qui gonflait sa poitrine d'air chaque fois qu'on le ramenait à la surface.

— Au début, ça va toujours, commenta Svénia. Les souqueurs ont de la force plein les muscles, mais au fil des heures, ils auront de plus en plus de mal à soulever la rame, et le temps d'immersion sera d'autant prolongé.

— Tu radotes ! coupa Marion. Je ne suis pas responsable des malheurs de ce garçon.

Mais elle savait qu'elle mentait.

Les heures s'écoulèrent. À bord, les hommes demeuraient silencieux. Seul le capitaine aboyait de temps à autre, pour corriger la manœuvre. Marion aurait voulu se boucher les oreilles afin de ne plus entendre le bruit des rames fouillant les vagues.

— Pourquoi désirais-tu ce garçon ? s'enquit Svénia. As-tu le connet en feu au point de ne pouvoir te passer de faire l'amour chaque nuit ?

— Idiote ! grogna l'ymagière en rougissant. Je ne voulais pas coucher avec lui, j'espérais qu'il m'aiderait à fuir.

L'esclave hocha la tête.

— C'était une bonne idée, admit-elle. Il s'y serait senti obligé. Quand on est choisi par une déesse au milieu de tant d'hommes, on ne peut que lui obéir aveuglément. Tu as tout compris de la vanité masculine, et celle des Vikings est immense. (Elle grimaça avant d'ajouter :) Mais tu vas maintenant te retrouver confrontée à un autre problème : s'il trépasse, ses parents t'en tiendront pour responsable et ils n'auront plus qu'une idée, se venger. Les Vikings adorent la vengeance, tu l'apprendras. Certaines familles se font la guerre depuis des dizaines d'années à cause d'affronts qui se perdent dans la nuit des temps. Parfois il suffit d'une mauvaise plaisanterie pour déchaîner une tuerie qui fera couler le sang pendant trente ans.

— À t'écouter, soupira Marion, j'ai l'impression que nous allons aborder au rivage des enfers.

— C'est à peu près ça, confirma Svénia. Je souhaite sincèrement que tes pouvoirs magiques soient grands et qu'ils te protègent de la colère du clan, sinon tu connaîtras une fin atroce.

Marion contempla les gantelets de fer. Elle avait la désagréable impression d'avoir perdu l'usage de ses mains. C'était une sensation affreuse pour une artiste dont toute la science consistait à manier le maillet et le ciseau.

— Et s'il s'avérait que je ne possède aucun pouvoir magique ? demanda-t-elle.

— Alors ils pourraient bien chauffer ces moufles d'acier jusqu'à ce que tes mains cuisent à l'intérieur, ricana la vieille. Je pense que ça ne serait guère plaisant pour toi. Rök a souvent des idées curieuses en matière de punition. Une fois qu'il avait capturé un chevalier chrétien, il l'a fait attacher à une broche, sans le sortir de son armure, et l'a mis à rôtir comme s'il s'agissait d'un sanglier. Quand le métal est devenu rouge, on a vu la graisse du pauvre bougre couler par les interstices du métal. Je crois qu'il a passé un sale moment. J'espère que cela ne t'arrivera pas.

Quand le soleil atteignit le zénith, l'ymagière exigea de sortir sur le pont pour vérifier que Knut vivait toujours. Ses camarades de combat, accrochés à la rame, montraient des signes de fatigue. Ils avaient désormais du mal à soulever l'aviron au-dessus de l'eau, si bien que le prisonnier ne disposait plus que d'un court moment pour reprendre sa respiration. Le froid avait bleui ses chairs, les cordes pénétraient sa peau gonflée. Il avait déjà l'apparence d'un noyé.

« C'est ma faute, pensa la jeune femme avec un pinçon à l'estomac. Il doit me haïr. S'il en réchappe, il ne me le pardonnera jamais. »

— Il est fichu, grommela Svénia avec une moue

de connaisseuse. Il ne tiendra jamais jusqu'au soir. C'est dommage, c'était un beau garçon. S'il se noie, ses camarades t'en voudront à mort. Il faudra te méfier d'eux.

CHAPITRE SIX

Knut ne mourut pas. À la tombée de la nuit, on souleva la rame pour la coucher sur le pont. Le garçon, bleu de froid, grelottait sans laisser filtrer un gémissement. Pour le libérer, il fallut trancher les cordes durcies par l'eau, qui lui entraient dans les chairs.

Il s'assit sous les murmures admiratifs de l'équipage et l'un de ses amis lui jeta une fourrure sur les épaules. Sa peau, sous l'effet de l'immersion prolongée, évoquait à s'y méprendre celle d'un noyé.

Marion le contemplait, le cœur serré par la culpabilité. Il lui sembla que Knut, en dépit des tremblements secouant ses membres, la cherchait au milieu des visages présents. Elle ne se déroba point. Quand le regard du garçon accrocha le sien, elle eut la surprise d'y lire de la fierté, ainsi qu'une curieuse soumission, comme s'il quêtait son approbation. Elle en fut troublée. Il ne paraissait nourrir nulle rancune envers cette étrangère qui avait failli causer sa mort. Il semblait même heureux de s'être montré à la hauteur de l'épreuve qu'elle lui avait infligée. Un instant, Marion crut contempler l'un de ces chevaliers glorifiés par l'amour courtois, qui risquent leur vie pour le simple bonheur de voir se dessiner un sourire de contentement sur les lèvres de leur belle dame.

« Est-il sot ou est-il fou ? » se demanda-t-elle. Les fadaises de la *fine amor* l'avaient toujours horripilée et elle n'était pas près d'y souscrire.

— Tu as vu ? lui souffla Svénia. C'est comme si vous aviez signé un pacte. Ce garçon est prêt à mourir pour toi.

— Assez de sottises ! s'emporta l'ymagière. Tu me prends pour une châtelaine qui trompe son ennui en s'échauffant aux fadaises des troubadours ?

Elle tourna les talons pour regagner la tente de cuir.

Le regard de Knut continua à la hanter tard dans la nuit, l'empêchant de trouver le sommeil.

Quand elle ferma enfin les paupières, elle se retrouva harcelée par les multiples explications dont Svénia lui encombrait la cervelle.

Walhalla signifiait « le château des morts ». C'est là qu'Odin regroupait les guerriers tués sur les champs de bataille afin de se constituer une armée capable d'affronter les géants lorsque sonnerait l'heure du Ragnarok, le crépuscule des dieux.

Walkyries voulait dire « celles qui montrent du doigt ceux qui vont mourir », elles avaient le redoutable privilège de survoler les combats et de choisir les défunts.

Fenrir était le...

Enfin l'on atteignit la terre du Nord. Une île montagneuse dont Marion ne comprit pas le nom, et qui, vue de la mer, ne paraissait pas très grande. La jeune femme estima qu'on naviguait depuis près de trois semaines. Elle ne supportait plus l'atmosphère humide du navire, le froid, les nausées permanentes. Grâce aux potions de Svénia, elle avait passé la moitié du voyage dans un état de profonde torpeur, doutant parfois de la réalité des choses. Ce matin encore, elle éprouvait une certaine difficulté à se convaincre que ce qu'elle voyait existait réellement.

Nulle joie ne présida à l'arrivée du drakkar. Marion eut le sentiment que ce débarquement s'effectuait de manière clandestine, dans une hâte fleurant la panique.

À l'amoncellement des paquets ficelés sur les traîneaux, au grand nombre d'attelages, elle devina que le clan s'apprêtait à prendre la route. Le froid était vif et la jeune femme claquait des dents. Svénia lui jeta une fourrure sur les épaules.

— Il faudra t'endurcir, dit-elle, ce n'est rien à côté de ce qui nous attend dans les montagnes. Ici, la mer adoucit le climat.

Un comité d'accueil se tenait sur la rive, rassemblant le chef du clan et ses conseillers. « Ainsi, c'est là le fameux Rök », songea Marion en scrutant le géant qui se dressait devant elle, les poings plantés sur les hanches. Elle fut surprise de découvrir qu'il était jeune. Sans savoir pourquoi, elle s'était attendue à rencontrer un homme mûr, à la barbe grisonnante. Comme tous ses compagnons, il avait l'air d'un prédateur. « Un loup dressé sur ses pattes de derrière », se dit l'ymagière. Il respirait la violence à peine contenue, la force frémissante. Son regard scrutateur brillait d'une lueur hallucinée. Un réseau de fines balafres sillonnait sa joue droite. Sa barbe, ses cheveux semblaient un prolongement des fourrures dont il était couvert, et cette similitude de texture et de coloris achevait de lui conférer un aspect animal qui mettait mal à l'aise. On finissait par voir en lui une sorte de garou assez puissant pour oser se promener à la lumière du jour. Il avait la mine sombre et toute son attitude trahissait l'homme qui vit perpétuellement aux aguets, dans l'attente d'une embuscade. Soutenue par Svénia, Marion descendit du bateau.

— Fais attention, lui chuchota la servante. Il ne parle pas le français; je crois cependant qu'il le comprend assez bien. À partir de maintenant, ta survie dépend des services que tu pourras rendre au clan.

Marion ne parvenait plus à dissimuler ses tremblements. Elle avait peur, elle craignait par-dessus tout qu'on ne lui demande d'accomplir un miracle. Elle avait la certitude qu'on allait la traîner au pied d'un blessé, d'un malade, et exiger d'elle une guérison par imposition des mains. Trente pas la séparaient de Rök; elle s'évertua à reprendre le contrôle d'elle-même et affecta le comportement d'une déesse.

Les yeux baissés, Svénia commença à traduire :

— Il dit : « Nous sommes les derniers représentants de la race des vrais Vikings. Les autres se sont laissé corrompre par les prêtres missionnaires, ils ont épousé les croyances du Crucifié. Ils adorent un cadavre cloué sur une croix. Pourquoi pas un pendu ou une dépouille carbonisée qui s'émiette au sommet d'un bûcher? » Il dit que ce sont des croyances de victimes, de peuples sans fierté voués au massacre. Aucun Viking digne de ce nom ne peut accepter cela... Alors il s'est séparé des autres pour demeurer dans la vraie voie. Lui et les siens continuent à honorer les anciens dieux. Les divinités du Walhalla.

Rök parlait d'une voix sonore mais haletante, comme si les mots se bousculaient dans sa bouche. Tout le clan l'écoutait.

— Il dit qu'il a entendu parler de toi par les

prêtres missionnaires. Un certain Azaël [1] lui a vanté tes talents. Tu es celle qu'il cherchait, c'est pourquoi il a envoyé cette expédition en terre normande.

Marion prit soin de ne pas trahir sa surprise. *Ainsi frère Azaël était devenu missionnaire?* Qu'avait-il pu raconter à ces sauvages? Sûrement pas qu'elle était une sainte capable de miracles... ou bien il s'était mal exprimé et les barbares l'avaient compris de travers.

Depuis un moment, Rök fixait les gantelets verrouillés sur les poignets de la jeune femme. Il y avait dans son regard une étincelle mystique qui effraya Marion. Elle aurait voulu crier : « Vous vous trompez, je ne sais que sculpter la pierre. Je ne peux rien pour vous. Rendez-moi la liberté. »

Elle conserva le silence. Rök reprit la parole ; sa voix avait un ton caverneux.

Svénia, par mimétisme, adopta la même façon de parler.

— Il dit que tu arrives juste à temps pour sauver la tribu. C'est la fin de l'hiver, l'air se réchauffe, dans quelques semaines les dieux n'étendront plus leur protection sur le clan et les pires malheurs se produiront. Tu dois intervenir sans attendre. Suis-le, il va te montrer ce qu'on attend de toi.

Marion était la proie d'une grande confusion. Elle avait l'impression de se débattre dans les péripéties d'un incompréhensible cauchemar.

Le groupe se mit en marche. Il faisait froid, mais déjà la couche de neige s'amincissait. La jeune femme remarqua les longues maisons enterrées, sans fenêtres, aux toits recouverts de terre et de gazon.

1. Voir *Pèlerins des ténèbres*, du même auteur dans la même collection.

Ces habitations aveugles évoquaient pour elle une prison. Il devait y régner une obscurité et une puanteur difficilement supportables.

Au milieu du village, en plein vent, se dressaient des statues taillées dans des blocs de glace. Le réchauffement les avait abîmées, et certaines voyaient leurs traits se défaire. Les guerriers s'agenouillèrent. Svénia poussa Marion à les imiter. La neige mouilla la robe de la jeune femme, lui glaçant les genoux.

— Ce sont les divinités qui veillent sur le clan, expliqua la servante. Là, les Walkyries, les neuf filles d'Odin qui survolent les batailles pour emporter les âmes des morts. Là, Odin, le dieu majeur qui a donné aux hommes l'écriture, le feu. Là, Thor, le dieu au marteau...

Elle poursuivit son énumération, prononçant des noms qui n'évoquaient rien pour Marion peu familiarisée avec le panthéon germanique. Elle ne chercha pas à les mémoriser, elle remarqua seulement que les sculptures de glace s'amollissaient. Le réchauffement les faisait pleurer des larmes qui leur ravinaient le visage. À ce rythme-là, leurs traits seraient bientôt effacés. Ayant admiré le travail du maître artisan qui les avait taillées, elle éprouva un pincement au cœur à l'idée qu'une telle œuvre retournerait dans peu de temps à l'anonymat de la flaque d'eau croupie. Il y avait une certaine perversité à sculpter tant de beauté dans un matériau voué à l'anéantissement.

— Là, continuait Svénia, les Nornes qui tissent et coupent le fil de la vie... Là, le serpent-monde qui entoure la terre plate de ses anneaux...

Des inscriptions runiques ornaient chacun des piédestaux. Elles s'effaçaient elles aussi, sous l'effet d'une fonte sournoise.

— Pourquoi ne pas les avoir taillés dans la pierre ? interrogea Marion.

— Parce que ce sont les dieux du Nord, répondit la servante, les dieux du froid. Aucun matériau ne pouvait mieux leur convenir que la glace. La glace est leur chair, elle leur permet de s'incarner parmi les humains.

Indisposé par cet aparté, Rök aboya. Svénia courba l'échine. Le guerrier reprit son monologue.

— Il dit : « Les dieux du Walhalla ne s'incarnent que dans la neige ou la glace, traduisit l'esclave. Ils n'aiment ni le roc ni le bois. Ceux qui commettent l'erreur de les sculpter dans un tronc d'arbre affaiblissent leurs pouvoirs. Pour bénéficier de la pleine protection des divinités, il faut leur offrir une image qui leur convienne. Mais quand arrive le réchauffement du printemps, la glace fond, les visages des statues se déforment. Alors les dieux, mécontents de l'apparence qui est devenue la leur, s'en vont ailleurs, laissant le clan sans protection, démuni. Dieux et déesses veulent être beaux, les statues doivent célébrer la perfection de leurs traits. Ils fuient les représentations approximatives, les effigies grossières. Ils sont exigeants sur la qualité du travail, et ne visitent que les clans où les honneurs leur sont convenablement rendus. »

Marion commençait à entrevoir où Rök voulait en venir. Une bouffée de soulagement gonfla sa poitrine.

— Tu es celle qui redonne figure aux dieux chrétiens, continuait Svénia. Azaël, le moine, nous l'a dit. Tu es la meilleure dans ta partie. On raconte qu'un jour tu as si bien sculpté la statue d'un saint qu'elle s'est mise à marcher.

Marion le comprit, Rök faisait allusion à l'effigie de saint Gaudémon, et aux fantasmagories dont le pèlerinage des ténèbres avait été l'occasion. Elle n'eut pas le courage de le détromper.

— Tu es ici pour redonner visage à nos dieux, murmura Svénia. Leurs traits se défont, tu corrigeras leur physionomie, tu les rendras beaux afin qu'ils restent avec nous. C'est une tâche capitale dont dépend le sort du clan. Si les dieux cessent de nous protéger, les malheurs pleuvront sur nous. Depuis que la fonte des statues a commencé, plusieurs accidents ont eu lieu. Une maison a brûlé, et l'on nous a prévenus que nos ennemis préparaient une expédition contre nous. Les choses sont en train de mal tourner. La protection des divinités s'affaiblit. Et cela ira de mal en pis si les sculptures continuent à se défaire. Aucun dieu n'a envie d'habiter une représentation défigurée.

Malgré elle, Marion regarda ses mains. Bonté divine ! Voilà qu'on la croyait capable de donner vie aux pierres taillées ! En France, une telle accusation l'aurait conduite au bûcher, ici, ce don lui valait les plus grands honneurs.

— C'est pour cela qu'on m'a enfermé les mains dans ces coquilles ? demanda-t-elle.

— Oui, fit Svénia. Celle qui taille le visage des dieux ne doit pas toucher les choses impures de la vie quotidienne. Les divinités du Walhalla ne le supporteraient pas. On te retirera les moufles de fer pour sculpter la glace. Le reste du temps, je serai là pour pourvoir à tes besoins. Je te ferai manger comme une enfant, je te laverai, je brosserai tes cheveux.

— Je ne peux pas sculpter un morceau de glace en train de fondre, ce serait absurde ! protesta Marion. Si le printemps arrive, rien n'empêchera la catastrophe. Les statues vont chaque jour s'amollir un peu plus, jusqu'à se changer en flaque, et je ne puis empêcher cela.

— Nous n'allons pas rester là, à attendre que le soleil détruise les statues, expliqua Svénia. Nous ne sommes pas stupides. Dès demain, nous prendrons la route des glaciers. Si l'hiver se retire des plaines, nous irons le chercher là où il se retranche : au sommet des montagnes. Là-haut, les dieux cesseront de se liquéfier, et leur protection s'étendra de nouveau sur le clan.

Marion leva les yeux. La brume lui cachait les montagnes, toutefois elle sentit que c'était là un territoire grandiose et effrayant, sans commune mesure avec celui qu'elle avait exploré au cours du funeste pèlerinage de saint Gaudémon [1].

— Vous allez déménager les statues ? interrogea-t-elle. Les transporter là-haut ?

— Oui, répondit Svénia. Sur des traîneaux. C'est toujours ainsi que nous faisons. Si les dieux fondaient, nous serions perdus. Nos ennemis nous rattraperaient et nous extermineraient. Les glaciers s'ouvriraient pour nous avaler. Sans les dieux du Walhalla, nous ne sommes plus rien.

Marion se garda de la contredire. Après tout, il ne lui appartenait pas de critiquer les croyances de ces gens. Seule comptait pour elle la possibilité de survivre, son art pouvait l'y aider. Elle se redressa sans y avoir été invitée et fit un pas, pour examiner les statues. Les guerriers frémirent, ne sachant quelle contenance adopter. La jeune femme apprécia le magnifique travail de stylisation avec lequel on avait représenté les divinités nordiques. Il ne lui fallut pas longtemps pour en saisir la logique. Cela n'avait rien à voir avec la manière en usage au royaume de France. L'excitation qui s'emparait toujours d'elle

1. Voir *Pèlerins des ténèbres*, du même auteur dans la même collection.

lorsqu'elle était confrontée à une nouvelle façon d'attaquer la pierre lui alluma des étincelles au bout des doigts. La glace était fragilisée par la fonte. Il suffirait d'un coup de ciseau mal appliqué pour faire voler les visages en éclats.

— Pourquoi ne demandez-vous pas à l'artisan qui a sculpté ces blocs de les entretenir ? demanda-t-elle. Personne ne pourra le faire mieux que lui.

Svénia baissa les yeux.

— Il n'est plus en mesure de tenir le ciseau, souffla-t-elle. À force de sculpter la glace, ses doigts ont gelé. Il a fallu l'amputer. Aujourd'hui, son coup de maillet n'est pas assez sûr. Rök n'a plus confiance en lui. Il craint de le voir saccager les statues.

— Comment s'appelle-t-il ?

— Bjorn, cela signifie « l'ours ». Il a longtemps été le meilleur, mais c'est fini. Tailler la glace est difficile. Quand il fait froid, les doigts restent collés aux outils de fer, et on y laisse chaque fois un peu plus de peau. Il ne se trouve personne d'assez habile dans les environs pour restaurer son travail. C'est pour cela que Rök a ordonné qu'on aille te chercher en France. Toi seule peux nous sauver de l'abandon des dieux.

À entendre parler Svénia, on ne pouvait imaginer qu'elle était née chrétienne. Les années de captivité semblaient avoir remodelé son esprit.

— Je suppose que je n'ai pas le choix ? soupira Marion. Et qu'arrivera-t-il si je fais éclater la tête d'Odin d'un coup de maillet malheureux ?

— On te tuera, chuchota la servante. Tu n'as pas le droit d'échouer. Si tu défigures les dieux, on te punira en t'entaillant pareillement. Pas par cruauté, mais pour t'excuser auprès d'eux. Si tu casses le nez d'une Walkyrie, on coupera le tien.

— J'ai compris, grogna la jeune femme. J'ai donc intérêt à réussir du premier coup.

Elle regrettait de ne pouvoir toucher la glace pour apprécier son degré de liquéfaction. Était-il déjà trop tard?

— Ce soir, on chargera les statues sur les traîneaux, dit Svénia. On a trop attendu. Il faut aller à la rencontre du froid. Dès que nous serons sur les pentes du glacier, elles se raffermiront.

Rök se redressa et se remit à monologuer en agitant les mains.

— Il dit que le clan doit marcher à la rencontre de l'hiver, aller là où il fait si froid que les arcs-en-ciel gèlent et se transforment en ponts de glace. Il dit que si l'on rencontre l'un de ces ponts, il suffit de le traverser pour arriver chez les dieux.

— Dis-lui que j'accepte le défi, lâcha Marion. Je restaurerai les effigies du mieux que je le pourrai.

Svénia s'empressa de traduire. Les guerriers hochèrent la tête sans faire preuve d'une joie excessive. Sans doute appréciaient-ils modérément de devoir remettre le sort du clan entre les mains d'une femme.

Rök prit Svénia à part et parut lui donner des ordres; puis, sans un regard pour Marion, il s'éloigna suivi de ses guerriers.

« Tiens, songea cette dernière, il n'y aura donc point de fête pour célébrer mon arrivée? »

Elle avait assez d'intuition pour deviner que le malaise du clan ne tenait pas seulement à cette histoire de divinités fondues. Il y avait autre chose, une menace qui couvait dans l'ombre et se lisait sur les visages. Un peu partout, des ordres claquaient. On se pressait de charger les traîneaux. C'était moins un départ qu'une fuite précipitée.

— Que se passe-t-il? questionna l'ymagière.

Pourquoi ont-ils tous l'air d'avoir le diable aux trousses ?

Svénia eut un geste vague.

— Notre clan a des ennemis puissants qui s'acharnent à nous porter préjudice, marmonna-t-elle. Ces derniers temps, la fonte des statues a affaibli la protection dont les dieux nous entouraient, nous avons subi des revers. C'est pour cela qu'on attendait ton arrivée avec tant d'impatience. (Elle s'ébroua, avant de conclure d'un ton irrité :) Assez bavardé, le temps presse. Je vais te montrer notre attelage. Tu te coucheras sur le traîneau et je mènerai les chiens.

Marion ne connaissait pas grand-chose à la vie dans les contrées froides. Elle scrutait avec étonnement les costumes, les véhicules montés sur skis, ces curieuses charrettes sans roues que tiraient des chiens aux yeux bleus plus poilus que des ours. Hommes, femmes, enfants étaient emmitouflés de peaux. Ces accoutrements leur donnaient l'apparence de grosses bêtes pataudes dressées sur leurs pattes postérieures. Svénia lui désigna leur traîneau — une sorte de lit où l'un des deux partenaires se couchait tandis que l'autre se tenait dressé à l'arrière, pour fouetter les chiens ! Jamais Marion n'avait rien vu d'aussi grotesque.

— Un traîneau file moins vite sur la neige que sur la glace, expliqua la vieille femme. Pour ne pas rester collé, il faut enduire les patins d'un mélange de neige boueuse qu'on laisse ensuite geler.

Marion n'écoutait pas. Elle observait le manège des hommes occupés à installer les statues de glace sur plusieurs charrois munis de skis. Les guerriers étaient pâles, terrifiés à l'idée de laisser échapper l'une des précieuses effigies. Ils les manipulaient à l'aide de bâtons, sans jamais les effleurer du doigt.

— Dès que tu auras commencé à tailler les visages des dieux, dit Svénia, tes mains seront considérées comme sacrées. Tu ne pourras plus rien toucher. Les gens seront persuadés que le contact de tes doigts les ferait tomber en cendres. N'espère pas nouer de relations avec ceux qui t'entoureront. On aura peur de toi comme d'une sorcière, et si l'on te fait des offrandes, ce sera pour éloigner ta colère. Viens maintenant, il faut partir. Allonge-toi sur le traîneau et laisse-toi recouvrir de fourrure. Je vais te passer de la graisse de phoque sur le visage pour t'éviter les engelures. Ça pue, mais c'est efficace.

CHAPITRE SEPT

Le convoi s'élança sur la plaine. Le ciel avait une couleur rose violacé. Bas, lourd, il rétrécissait l'horizon. On eût dit que les nuages, chargés de pendeloques de givre, étaient devenus trop lourds pour continuer à flotter et qu'ils allaient descendre, descendre... jusqu'au moment où ils écraseraient les villages et les hommes. Les traîneaux filaient dans un bruit lancinant d'interminable déchirure. Allongée sous les fourrures, Marion se laissait porter. Des éclaboussures de neige, des esquilles de glace la frappaient au visage tandis que les chiens galopaient, la tête et le dos sortant seuls du tapis blanc recouvrant le sol.

La plaine semblait infinie, cependant la réverbération de la lumière brouillait les lignes et il était difficile d'estimer les distances. Bien qu'on filât à grande vitesse, on avait l'illusion de rester sur place.

Quand le jour commença à baisser, le convoi s'arrêta. On forma un cercle et on alluma un petit feu. Svénia expliqua que le bois était rare et précieux; toutefois, il fallait éloigner les loups que la présence des chiens excitait.

— Ils sont capables d'attaquer par meutes de cent

têtes, souffla-t-elle, si bien qu'on est vite submergés. C'est comme une armée à quatre pattes qui vous saute à la gorge. Quand ils sont affamés, il leur arrive d'emporter les bébés.

Elle s'activait pour monter une tente de cuir rudimentaire qui les protégerait des rafales.

On avait pris soin de ranger les statues de glace loin du feu de camp, mais la lueur dansante des flammes allumait des éclats mouillés sur leur physionomie farouche. Tout en préparant un repas à base de poisson fumé, Svénia s'appliquait à brosser un portrait rapide de la mythologie nordique, pleine de dieux terribles, armés jusqu'aux dents et toujours prêts à exploser en de monstrueuses colères.

Elle parlait du serpent-monde entourant de son corps annelé la terre plate, elle parlait d'Yggdrasil, le frêne colossal dont les hautes branches permettent d'aborder au paradis, et dont les racines se perdent en enfer...

Marion s'embrouillait dans ce chaos de descriptions fantastiques. Un homme venait de sortir des ténèbres et marchait vers les statues. Il s'arrêta devant chacune, ébauchant un geste dans leur direction sans oser les toucher. C'était un grand vieillard dont la barbe blonde tournait au gris. Bien qu'il fût enveloppé de fourrure, on le devinait maigre, les bras sillonnés de tendons.

— C'est Bjorn, souffla Svénia. L'ancien sculpteur, celui dont tu vas prendre la place. Je pense qu'il a commencé à te haïr avant même de te connaître. Méfie-toi de lui. Il ne se remettra pas d'avoir été spolié de ses privilèges.

Marion faillit esquisser un pas en arrière pour se dissimuler, mais l'homme tourna la tête et la dévisagea. Leurs regards s'empoignèrent. La jeune femme ne voulut point avoir l'air de céder. Soudain, Bjorn s'avança vers elle. Quand il entra dans la lumière du foyer, Marion vit qu'il avait les yeux incroyablement clairs, d'un bleu à peine teinté. Il était moins vieux que ne le laissait croire son poil grisonnant, mais tout son être paraissait ravagé par une dévoration intérieure. Son expression rappelait à la jeune femme celle qu'elle avait maintes fois vue sur les traits de moines exaltés, confits en religion. Svénia dit quelque chose en langue norroise et l'homme se baissa pour entrer dans l'abri. Quand il rabattit son capuchon, il dévoila ses longs cheveux argentés. Quel âge avait-il? Cinquante ans? C'était vieux pour un Viking.

« Vingt ans de vie en trop, probablement, songea Marion. Maintenant qu'il ne taille plus la glace, il fait partie des inutiles, de ceux qu'on sacrifiera à la prochaine famine. » Bjorn s'assit près du foyer. Avec une certaine ostentation il ôta ses moufles de fourrure et tendit ses paumes vers les flammes. Il lui manquait plusieurs doigts à chaque main. Quelques-uns avaient totalement disparu, d'autres étaient amputés d'une ou deux phalanges. Tout en fixant la jeune femme d'un air goguenard, il se mit à parler d'une voix monocorde.

— Il dit que tu dois voir ce qui t'attend, traduisit Svénia. Il dit que la glace est souvent plus dure que la plus dure des pierres et que tu n'auras pas la force de l'entamer. Le froid rend les outils cassants comme du verre. Il t'engourdit les mains, si bien que tu n'es plus capable d'ajuster la force de tes coups. Alors tu commets des erreurs d'appréciation, tu frappes trop fort et tu fais sauter l'oreille d'Odin.

Joignant le geste à la parole, Bjorn écarta une mèche de cheveux sur sa tempe, dévoilant le trou déchiqueté qui s'étendait à la place de son lobe. Marion se contracta. L'homme eut un ricanement.

— Il dit : *tu casses les dieux, les dieux te cassent*, murmura Svénia mal à l'aise. C'est la règle. C'est le revers de la médaille. Chaque fois que tu causeras préjudice à l'effigie de l'un d'entre eux, on t'imposera la même blessure, on te marquera pareillement. C'est la loi. Si tu ne payais pas tes erreurs, les dieux en concevraient une terrible colère et se vengeraient sur le clan.

Bjorn se défit de son manteau. Sans se soucier de la température, il écarta sa tunique pour dévoiler sa poitrine nue. Des cicatrices la zébraient en tous sens, comme s'il avait guerroyé une vie entière et subi des dizaines de blessures.

Svénia reprit son chuchotement :

— Il dit : « Regarde, chaque plaie correspond à un coup de burin mal ajusté, à un éclat de glace arraché à la physionomie d'un dieu. C'est le prix à payer. Si tu casses un nez, on coupera le tien, si tu ouvres une fêlure on t'entaillera la peau sur une longueur égale. On ne peut se rebeller. Tant que la main est sûre, on mène la vie d'un prince, mais qu'elle commence à trembler et l'on passe son existence dans la douleur et les tourments. »

Marion essayait de faire bonne figure, mais le corps torturé de l'ancien sculpteur l'horrifiait. Elle s'imaginait incisée, défigurée. Sentant qu'elle vacillait, Bjorn prit un malin plaisir à remuer le fer dans la plaie. Écartant les poils de sa barbe, il fit voir qu'on lui avait enlevé un morceau de la lèvre supérieure.

— Il dit que tu ne resteras pas longtemps entière parce que tu n'es pas née ici et que tu n'as pas le sens de la glace, murmura Svénia. L'eau gelée n'a rien de commun avec la pierre, elle n'a pas de grain, elle peut exploser comme du verre. On la croit solide, et elle se volatilise entre vos doigts au premier coup de burin. Il s'est entraîné toute son enfance avant de devenir sculpteur de divinités, *pas toi*. Il dit que tu n'as pas le coup de main, tu cours à la catastrophe. Tu peux dire adieu à ta beauté. Quand on t'aura coupé les oreilles, le nez, et le bout des seins, aucun homme ne voudra plus de toi.

— C'est tout? s'enquit Marion.

— Non, ajouta Svénia. Il te lègue ses outils; il n'en a plus besoin. Il te souhaite bonne chance. Il a trop longtemps vécu dans la terreur pour être jaloux de toi. Il ne veut surtout pas que tu penses qu'il t'envie, ce serait une erreur. Il sera toujours là si tu as besoin d'un conseil. Il n'est pas hostile à l'idée de te vendre ses secrets.

— Transmets-lui mes remerciements, soupira Marion en essayant de sourire.

Bjorn s'inclina, remit ses vêtements et sortit.

— Était-il sérieux? demanda la jeune femme lorsque le tailleur de glace eut disparu.

— Oui, fit Svénia. Il n'a plus rien pour subsister. Dans un clan, on ne nourrit pas les inutiles. Il doit mendier de petits travaux de décoration. Il peint des boucliers, décore des gardes d'épée, rien de bien important. En guise de paiement, on lui abandonne des rogatons.

— Aurais-je intérêt à l'engager comme conseiller?

— Peut-être. Si tu lui donnes à manger, il s'abstiendra sûrement d'aller saboter ton travail dès la nuit tombée. Ce sera déjà ça.

Marion grimaça, elle n'avait pas envisagé les choses sous cet angle.

— Tu crois qu'on peut lui faire confiance?

Svénia haussa les épaules.

— Jusqu'à un certain point, lâcha-t-elle. Quand il aura le ventre plein, la jalousie reprendra le dessus, c'est sûr. Pendant toute sa vie, il a été vénéré à l'égal d'un prêtre. Il n'avait qu'à désigner du doigt ce qui lui faisait envie pour qu'on le lui donne aussitôt. Et c'était valable pour n'importe quoi : du gibier, du vin, des filles, un cheval... On lui a passé tous ses caprices. Il n'avait pas besoin de briller au combat pour être un héros, ses précieuses mains le mettaient à l'abri des corvées. Cela a duré des années, jusqu'à ce que la vieillesse lui gâte le doigté et qu'il commence à faire des erreurs. Alors le calvaire a débuté. Il lui a fallu payer le tribut de sang, s'excuser auprès des dieux du mal qu'il leur avait fait. J'avoue que cela m'a amusée de le voir torturé sur la place du village, ces petits spectacles m'ont payée de toutes les fois où, quand j'étais jeune, j'ai dû entrer dans son lit pour supporter ses appétits vicieux. Écoute ses conseils, mais méfie-toi. On ne se console pas du pouvoir perdu. Tôt ou tard, il cherchera à se venger.

Le repas était chaud et Marion dut, une fois de plus, accepter d'être nourrie comme une enfant. Elle commençait à craindre que ses mains ne s'ankylosent à demeurer ainsi immobiles, comprimées dans leur prison de fer.

— Devrai-je toujours porter ces moufles ? grogna-t-elle entre deux bouchées.

— Non, dit Svénia. Une fois que tu auras assimilé les règles et qu'on aura confiance en toi, on te libérera. Mais ce n'est pas pour demain ! En attendant, veille à ne jamais toucher personne. Si tu veux être à peu près tolérée, je te conseille, lorsque tu paraîtras en public, de conserver les mains croisées derrière ton dos. On te taillera différents gantelets, dans des matières variées. Il en existe en ivoire, sculptés dans de l'os de cachalot, ce sont les plus agréables à porter, mais ils sont tous rigides et te donneront la sensation d'être paralysée.

— C'est absurde, gronda Marion. Je vais m'ankyloser et perdre ma souplesse de toucher!

— Je n'y peux rien, soupira Svénia. C'est la loi.

L'ymagière se rappela toutes les mains de bois qu'elle avait jadis taillées dans l'atelier de son père, ces ex-voto que les pèlerins de saint Gaudémon portaient en sautoir au cours du cheminement. Il y avait une certaine ironie à retomber sous le joug de ces simulacres, ici, au bout du monde.

— Assez parlé, décida la servante. Il faut dormir. Demain tu devras faire tes preuves devant tout le clan. J'espère que tu seras capable de raffermir la figure de nos dieux sans la faire éclater, sinon tu mourras de la même manière dans l'instant qui suivra. La tête dans un étau de bois.

CHAPITRE HUIT

Marion mit longtemps à trouver le sommeil. Les révélations menaçantes de Bjorn la harcelèrent jusqu'au milieu de la nuit. Après quoi, elle sombra dans une suite de cauchemars peuplés de géants, de serpents et de frênes colossaux.

Svénia la réveilla à l'aube.

— Tu dois te préparer, déclara la servante. On va venir t'enlever les gantelets. Je te le répète : dès que tu auras les mains libres, n'effleure personne.

— J'ai compris, haleta la jeune femme. Arrête de radoter ! Je ferai attention.

— Veux-tu manger ? s'enquit la servante.

— Non, balbutia l'ymagière que la nausée de la peur assaillait.

Quand elles furent vêtues, les deux femmes sortirent. Le vent chargé de neige les gifla. Le clan se tenait rassemblé autour des statues, la mine sombre. Rök s'avança, la clef des moufles de fer entre les doigts. Dès qu'il eut fait jouer le cadenas, il recula prudemment. Les gantelets tombèrent dans la neige. Marion s'empressa de faire jouer ses articulations pour leur redonner un semblant de souplesse. Quand elle releva les yeux, Svénia s'était éloignée. La besace de cuir contenant ses outils de taille avait été jetée sur le sol. Marion s'en saisit et marcha vers les statues.

Le froid lui coupa la respiration. Elle mourait de soif. Tout le monde la regardait avec un mélange de terreur, de haine et d'espoir. La neige crissait sous ses semelles ; la distance qui la séparait des dieux de glace lui sembla incroyablement longue. Enfin, elle fut au pied des totems. Le blizzard nocturne les avait raffermis et ils ne présentaient plus cet éclat humide annonciateur de déliquescence. Toutefois, l'amorce de fonte avait eu le temps de faire son œuvre et les visages, les membres avaient subi un incontestable gauchissement. Une mollesse suspecte amoindrissait la vitalité des titans ; les bouches faites pour souffler les tempêtes avaient la lippe pendante. Quelque chose de grotesque émanait de ces blocs conçus pour l'adoration. Marion ouvrit la besace, choisit le plus fin des ciseaux ainsi qu'un petit maillet car, ici, il ne s'agissait pas de dégrossir le granit.

Elle grimpa sur le traîneau pour examiner la première des effigies, celle d'Odin, le père des dieux. Le froid lui mordait les mains. En France, même au cœur du plus rude hiver, elle n'avait connu douleur semblable.

Elle essaya d'oublier sa peur et se concentra. Sur une statue de pierre, elle aurait effectué cette besogne sans grand souci. Il suffisait de reprendre les traits amollis, de leur redonner ligne et dureté. La difficulté provenait de la fragilité du matériau. *On lui demandait de sculpter de l'eau gelée...* Elle songea au dragon de la légende à qui l'on avait ordonné de tresser des cordes avec du sable. La besogne qu'on lui imposait aujourd'hui lui semblait aussi absurde !

Retenant son souffle, elle attaqua la glace à petits coups. Elle n'avait pas le choix, elle ne pouvait se permettre d'attendre plus longtemps car ses doigts

70

perdraient bientôt le sens du toucher. Elle devait agir tant que ses sensations étaient encore à peu près intactes.

Elle corrigea un nez, le contour d'une barbe, la ligne d'un œil. Elle tremblait de voir la tête vitreuse exploser sous la morsure du burin. Svénia n'avait-elle pas affirmé qu'on lui infligerait le même supplice ?

Elle continua jusqu'au moment où l'engourdissement du froid lui paralysa les mains. Elle ne sentait plus rien, ni le ciseau ni la glace. À peine devinait-elle encore le choc du maillet. Elle décida d'arrêter, de ranger les outils. La foule allait-elle pousser des clameurs de protestation ? Tant pis, elle ne prendrait pas davantage de risques.

Après une hésitation, Rök s'avança. Le visage tendu, il examina le travail de la captive. Ce qu'il vit parut le rassurer car il ordonna à plusieurs guerriers d'approcher. Ceux-ci hochèrent la tête. Déjà Svénia accourait, les moufles de fer brandies.

— Ils sont contents de toi, chuchota-t-elle. Ils n'y croyaient pas. Tu les as convaincus, maintenant tu es officiellement Celle-qui-donne-forme-aux-dieux. Tu jouis des privilèges de la charge, tu peux réclamer tout ce qui te fait envie : des fourrures, des bijoux, un cheval... un homme. Le clan te servira comme une princesse tant que tu ne commettras pas d'erreur.

Marion ne disant rien, Svénia murmura :

— Enfile les moufles de fer, tu leur fais peur à rester ainsi les mains nues. Tu ne vois pas qu'ils retiennent leur souffle ?

Elle disait vrai. Le silence devenait pesant, les regards des hommes effrayés. Marion poussa un soupir et obéit. Dès que Rök eut de nouveau verrouillé les gantelets, la tension tomba et des rires de soulagement se firent entendre.

CHAPITRE NEUF

Les jours succédèrent aux jours. Le clan fuyait l'arrivée du printemps dont les manifestations devenaient évidentes dans la plaine et les vallées. C'était curieux de voir ces gens se comporter à l'envers du commun des mortels.

« Des individus normaux se précipiteraient vers le soleil, songeait Marion. Ils se réjouiraient de l'arrivée de la chaleur. Ceux-là semblent terrifiés à la seule idée qu'ils pourraient cesser d'avoir froid. »

Ce paradoxe la confortait dans l'idée qu'elle était tombée dans les mains d'une bande d'hérétiques. Cela n'avait rien de surprenant ; toutes les religions finissaient par générer de semblables aberrations. Il se trouvait toujours quelqu'un pour se proclamer plus royaliste que le roi !

À présent, Rök se montrait loquace. À la halte, il lui arrivait de venir « parler » avec l'ymagière. Svénia servait d'interprète et traduisait en chuchotant, les yeux baissés. Le plus souvent, Rök soliloquait sans attendre de réponse, les yeux fixés sur la ligne d'horizon. Il parlait du pont de glace — *Bifrost* — menant à l'*Asgard*, la demeure des dieux. Il proclamait sa volonté d'aller là où il fait si froid que les arcs-en-ciel gèlent dans le ciel et que les nuages, à force de se charger de cristaux de givre, deviennent si lourds qu'ils perdent de l'altitude et descendent peu à peu pour s'échouer au ras des plaines, telles des baleines épuisées.

Il semblait croire à ces choses, et sa diction se faisait haletante. La buée sortant de sa bouche enveloppait son visage d'une brume qui finissait par lui donner l'apparence d'un fantôme.

— Seul le froid nous préservera, répétait-il. Comme il préservera les statues des dieux. Depuis que tu as commencé à t'occuper d'eux, la malchance a cessé de nous accabler. Nos ennemis ont perdu notre trace. La déveine ne s'acharne plus sur nous. Continue à travailler comme tu le fais et tout ira bien pour toi.

L'affirmation contenait une menace voilée qui n'échappa point à Marion.

Elle savait que son crédit restait précaire. Il suffisait d'un coup de burin maladroit pour ruiner sa situation du jour au lendemain. Tous les matins, elle inspectait les effigies divines pour voir si elles avaient subi quelque préjudice au cours du transport. Elle avait fini par s'entendre avec Bjorn, l'ancien sculpteur, pour apprendre les secrets du métier. En échange d'un peu de nourriture et de quelques pelisses, il lui avait cédé sa trousse à outils, et lui expliquait le maniement des ciseaux d'os de phoque avec une patience infinie.

— Ce qu'il veut, grogna Svénia, c'est surtout ne plus être considéré comme un inutile. Tant que tu auras besoin de lui, Rök ne donnera pas l'ordre de le jeter dans une crevasse avec les malades et les impotents.

Marion trouvait le personnage étrange et attendrissant. Elle comprenait la douleur de cet artiste déchu qui voyait aujourd'hui ses œuvres placées entre les mains d'un autre. Une inconnue qui risquait de les enlaidir, de les transformer. Il en souffrait probablement sans oser le montrer. Ses mains amputées ne lui laissaient aucun espoir de reprendre un jour son activité. Il n'était plus rien, mais ses statues continueraient à exister tant que Marion veillerait sur elles.

Par le truchement de Svénia, il expliquait à la jeune femme les secrets du métier.

— C'est plus compliqué qu'il n'y paraît, disait-il. Le froid n'est pas forcément le meilleur ami de la glace. Quand la température devient très basse, les blocs peuvent éclater comme du verre...

Il montra à Marion comment guetter la naissance des fissures dans l'épaisseur des statues, et comment les colmater en y faisant couler de l'eau.

— Les chocs encaissés pendant le voyage sont les grands ennemis des sculptures, murmurait-il. Les blocs sont moins compacts qu'on ne l'imagine. À l'intérieur de chacun d'eux, des réseaux de bulles d'air affaiblissent la structure. Et puis il y a le vent. Le vent chargé de paillettes de givre, de copeaux arrachés aux congères. En fouettant les statues, il érode les visages, efface les physionomies. On ne s'en méfie jamais assez. C'est un adversaire invisible avec lequel il te faudra compter. Tu le verras gommer les traits des dieux, nuit après nuit. Chaque matin, les lignes que tu auras affermies la veille te sembleront plus molles, effacées. Ce sera l'effet du vent. Si tu le laisses faire, tes statues se transformeront bientôt en blocs anonymes.

Quand il ne parlait pas de son métier, Bjorn racontait l'histoire du panthéon germanique, avec ses mille légendes barbares, ses fantasmagories. Marion commença à se faire une idée plus précise des visages qu'elle retouchait chaque matin. Il y avait Odin, bien sûr, le dieu borgne, le chef des Ases, la race divine par excellence, mais également Loki, le mauvais farceur, l'envieux, qui toujours s'appliquait à semer le mal et la discorde.

Dans cette curieuse religion, les divinités se comportaient comme l'aurait fait une famille de paysans envieux les uns des autres, chacun cherchant à s'attribuer la meilleure part. Leur vie avait quelque chose d'une interminable scène de ménage ponctuée de coucheries, de blagues douteuses, de complots conjugaux et de sanglantes trahisons. Ces titans aux pouvoirs fabuleux semblaient, par certains côtés, étrangement humains... et par là même plus sympathiques que bien des saints chrétiens au comportement trop sublime.

Lorsque les étapes se prolongeaient, Marion prenait la mesure de ses privilèges. Au début, elle n'osait pas réclamer son dû et elle se serait laissée mourir de faim; Svénia l'avait rappelée à la raison.

— Tu es celle qui donne visage aux dieux, lui serinait-elle. C'est au clan d'assurer tes besoins. Quand nous marchons entre les tentes, tu n'as qu'à désigner ce qui te fait envie. Personne ne pourra refuser de te le donner. Vêtements, fourrure, bijoux, nourriture, *tout est à toi*. Il faut te secouer, si tu ne prélèves pas ta part, nous crèverons de faim. Les Vikings ne font pas la charité, la vue des faibles et des indigents les indispose.

Bon gré, mal gré, Marion avait commencé à prélever son salaire. Elle se sentait néanmoins coupable de priver ces gens de denrées dont ils avaient manifestement autant besoin qu'elle.

— Pense à tes serviteurs, insistait Svénia. Il y a moi, il y a Bjorn. Nous mangeons aussi. Tu as le droit d'entretenir une suite.

Progressivement, Marion se laissa prendre à la griserie sournoise du pouvoir. En France, elle n'avait été qu'une femme parmi tant d'autres, dont on attendait obéissance et discrétion. Aucun homme n'avait jamais tremblé devant elle; les prêtres l'avaient considérée comme un agent d'infection démoniaque, une créature sans âme incapable de se gouverner seule. Les nobles avaient vu en elle une servante, tout juste bonne à culbuter dans la paille d'une grange... Ici, tout changeait. Elle faisait baisser la tête aux plus hardis guerriers, elle était devenue une sorcière dont on craignait les attouchements. Elle marchait entre les tentes de cuir, goûtant le plaisir de voir ses geôliers détourner les yeux à son approche. Elle était leur captive, mais elle leur faisait peur. Elle aimait surprendre leurs frissons lorsqu'ils percevaient le cliquetis des gantelets de fer. Elle savait qu'elle aurait pu réclamer n'importe quoi... Svénia le lui répétait constamment :

— Tu devrais prendre un homme pour la nuit, marmonnait-elle. Tu n'as pas fait l'amour depuis qu'on t'a capturée, ce n'est pas bon. À ton âge, il ne faut pas bouder les plaisirs du lit.

Comme Marion rougissait, la servante se faisait maquerelle.

— Tu n'auras qu'à t'étendre et à fermer les yeux, chuintait-elle. Tu verras comme ce sera excitant de les sentir trembler de peur entre tes cuisses. Ils seront terrifiés mais mettront un point d'honneur à te satisfaire, car le Viking se doit d'être le meilleur en toutes choses. Ensuite, tu les pousseras dehors d'un coup de pied. À ta place, je n'hésiterais pas. Ce n'est pas tous les jours qu'une femme se voit accorder un tel pouvoir! Tu es bien sotte de ne pas en profiter, la faveur dont tu jouis ne sera pas éternelle.

Marion se défendait, troublée. À plusieurs reprises elle avait rencontré au hasard du labyrinthe des tentes le regard de Knut, le jeune homme aux nattes pâles, qui avait failli périr noyé à cause d'elle. Elle avait éprouvé un pincement au ventre. Elle estimait lui devoir dédommagement. N'était-elle pas responsable des tourments qu'on lui avait infligés ? Elle revoyait le corps nu du garçon, ligoté à la rame, plongeant et replongeant dans les eaux glacées. Curieusement, il ne semblait pas lui en tenir rigueur. Quand elle le croisait, il était le seul à ne pas baisser les paupières. Marion ne parvenait pas à savoir ce que signifiait ce regard. Fallait-il y voir du défi, de la connivence ? Une promesse de complicité ou l'affirmation d'un dévouement indéfectible ?

Il essayait de lui dire quelque chose, mais quoi ? Qu'il ne regrettait rien ? Qu'il s'estimait toujours au service de la « sorcière française » ?

Embarrassée, ne sachant quelle attitude adopter, Marion se fit un devoir de l'éviter.

— Tu es bien bête, rageait Svénia. À ton âge, si j'avais eu cette chance, je ne me serais pas gênée pour en profiter.

Bjorn disait vrai. Il avait beau faire froid, le vent restait l'ennemi principal. Il érodait les contours en fouettant les statues de ses bourrasques chargées de débris.

Une nuit, le sculpteur aux mains mutilées avait tiré Marion du sommeil pour lui faire humer les rafales soufflant sur la plaine.

— Tu sens ? disait-il. L'air est chaud. C'est le vent du printemps. Le vent de la fonte des neiges, il vient de plus bas, du littoral. Il nous poursuit. Il sait que nous essayons d'aller contre l'ordre des choses. Il veut faire fondre nos dieux et nous priver de toute protection.

Gagné par l'exaltation, il agitait ses moignons. Il parlait si vite que Svénia, mal réveillée, avait du mal à traduire ses paroles.

Oui, le vent était l'ennemi. Il traversait l'espace, survolait les montagnes pour apporter au cœur du froid les bouffées du printemps. Marion n'avait qu'à s'en remplir les poumons pour y deviner le parfum des fleurs naissantes.

— Nous allons à sens contraire de l'ordre du monde, balbutiait Bjorn, c'est le signe que nos dieux ne méritent plus d'être adorés. Il faut les laisser fondre et adorer le Crucifié, comme l'ont déjà fait les autres Vikings.

Svénia, terrifiée, se jeta sur lui pour le bâillonner.

— Tais-toi! Vieux fou! chuinta-t-elle. Tu veux donc nous faire tuer?

Marion n'était pas loin de partager l'avis du vieillard. Il y avait du vrai dans ses propos. Cette fuite en avant ne rimait à rien. C'était une course contre nature.

« Tout se passe comme si nous voulions rester dans la nuit alors que le jour est en train de se lever », se disait-elle.

Chaque matin, dès qu'elle ouvrait les paupières, la peur lui nouait l'estomac. Il fallait prendre les outils et marcher vers les statues. Rök et le reste du clan l'attendaient, surveillant le moindre de ses gestes. Elle essayait de ne pas montrer son angoisse et se penchait pour ausculter les visages de glace qu'elle avait fini par prendre en horreur : Odin, Thor... ces dieux virils aux colères apocalyptiques, aux caprices souvent puérils. Elle les découvrait abîmés par le vent chaud de la nuit, suintants, la figure moite. Le souffle du printemps était venu les lécher, leur donnant une apparence vitreuse et maladive, proche de l'émiettement. Elle devait alors leur redonner santé. *Toc-toc toc...* Toute sa vie tenait dans ces petits coups de maillet. Toute sa beauté, aussi... Elle s'évertuait à ne pas y penser. *Toc-toc toc...* Chaque fois qu'elle frappait, elle songeait aux mains mutilées de Bjorn, à son oreille coupée, son corps couturé de plaies. « Cela peut t'arriver, lui soufflait une voix intérieure. N'importe quand, là, tout de suite... »

Le soir, quand l'eau-de-vie lui déliait la langue, Bjorn tombait le masque, alors ses confidences se teintaient d'amertume.

— Ne triomphe pas trop vite, ruminait-il. Pour l'instant, c'est facile parce qu'il ne fait pas vraiment froid. Les choses seront différentes quand nous serons sur le glacier. Tu n'es pas d'ici, tu n'as pas l'habitude des climats rigoureux. Tes gestes deviendront beaucoup moins sûrs quand la buée gèlera au sortir de la bouche des hommes et leur accrochera des morceaux de glace dans la moustache.

Marion sentait qu'il disait vrai. Elle avait déjà très froid. Jamais, en France, elle n'avait connu d'hiver aussi dur. Ici, elle avait parfois l'impression que le vent de neige cherchait à l'écorcher vive. Le contact avec la glace était si douloureux qu'elle devait retenir ses gémissements.

— C'est comme si on m'enfonçait des aiguilles à l'intérieur des os, confiait-elle à Svénia.

— Ne te plains pas, grognait la servante. Tu es jeune. Quand tu auras mon âge, ce sera pire. Nous qui venons de France, nous ne sommes pas bâtis pour vivre sous ces climats. Ces Vikings sont capables de supporter des conditions atroces.

CHAPITRE DIX

Deux jours plus tard, la situation se dégrada. Le printemps de la vallée semblait décidé à rattraper les fuyards. La neige perdit son bel aspect de poudre immaculée pour se cristalliser. Elle tournait vite à la boue. Rök força l'allure et supprima les haltes. Il fallait au plus vite trouver refuge sur les hauteurs. À présent, les traîneaux filaient sans relâche, dans le crissement permanent des skis.

Svénia se lamentait, répétant qu'il suffirait d'une bourrasque soutenue pour réduire les totems de glace en une série de blocs anonymes.

— C'est ta vie qui se joue là, marmonnait-elle, et la mienne... Tu es ma dernière chance, je deviens trop vieille, à la prochaine disette on me fera sauter dans le vide du haut d'une falaise.

Elle radotait, comme Bjorn. Les deux vieux s'accrochaient à l'ymagière avec la même opiniâtreté.

Un matin, avant d'aller corriger les visages des divinités, Marion voulut éprouver la compacité de la neige en y plongeant la main. Elle la trouva désagréablement molle. Pour habituer ses doigts au froid, elle modela un petit bonhomme dont elle se désintéressa aussitôt. Quelques jours plus tard, elle eut la surprise de découvrir que les enfants du clan avaient récupéré ce pantin et l'adoraient comme s'il s'était agi d'un nouveau dieu.

— C'est normal, soupira Svénia. De quoi t'étonnes-tu ? Tu n'as donc pas encore compris de quel pouvoir tu es investie ? Tu touches chaque matin la chair des dieux, tu lui redonnes forme : un peu de leur puissance passe en toi, dans tes doigts, dans tes paumes. Pour certains, le bonhomme de neige que tu as modelé est imprégné de cette charge divine. C'est un dieu au rabais, mais qu'on ne peut abandonner en route. Une sorte de gnome, d'enfant adultérin qu'Odin aurait eu avec toi. C'est pourquoi tu dois toujours porter des gants, sinon, tout ce que tu toucheras deviendra objet de culte. Nous n'en finirons pas d'adorer tes dépouilles, jusqu'aux épluchures des fruits que tu manges.

Rök attira Svénia à l'écart pour lui parler. Il chuchotait et paraissait embarrassé. Quand la servante revint dans la tente, elle confia que le chef du clan venait de lui demander quelque chose d'inhabituel.

— Il a remarqué que les statues « suaient » sous l'effet du vent chaud, chuchota-t-elle. Il voudrait que tu recueilles cette sueur dans un flacon et que tu la lui remettes. Il prétend qu'il serait inconvenant qu'un chien assoiffé la lèche pour se désaltérer.

« Allons, faillit lancer Marion, ce n'est que de la glace fondue ! »

Devant l'air préoccupé de Svénia, elle s'abstint.

— Il a peur que les chiens lèchent la glace ? répéta-t-elle.

— Les chiens ou les enfants, éluda la vieille. Le froid donne soif. On ne s'en rend pas compte, mais rien ne vous dessèche plus la bouche que le blizzard. Et si l'on mange de la neige, c'est pire encore.

— Tu ne crois pas une seconde à ce que tu racontes, soupira l'ymagière. Dis-moi réellement ce qu'il en est. Pourquoi Rök désire-t-il cette eau ?

Svénia détourna les yeux.

— Je crois qu'il veut s'en frictionner le corps, haleta-t-elle, pour devenir invincible. L'eau de fonte, c'est la sueur des dieux ; s'y baigner, c'est s'envelopper de leur protection, s'habiller avec la chair même de la divinité. Oui, je crois que c'est ce qu'il projette. Mais il n'a pas le courage d'aller recueillir l'eau lui-même. Il préfère que tu t'en charges.

Marion soupira.

— D'accord, capitula-t-elle. Je le ferai.

Elle était lasse de tant de superstition. Même en France, elle passait pour une sceptique, un esprit fort. Ses parents lui avaient souvent reproché de ne croire à rien. « Cela se retournera contre toi, lui prédisait-on, et lorsque tu auras besoin du secours d'un saint patron, il ne s'en trouvera pas un pour prêter l'oreille à tes lamentations. »

Elle imagina Rök, nu dans le secret de sa tente, se frottant la peau avec l'eau de fonte des statues. Elle trouva attendrissant qu'un tel colosse se laissât aller à tant de crédulité.

Le clan avait ses secrets. Ces gens fuyaient quelque chose dont ils ne parlaient jamais, un ennemi dont ils se gardaient de prononcer le nom. Il n'y avait qu'à les voir regarder par-dessus leur épaule dix fois par jour pour en être convaincu. C'étaient des hérétiques, dont les croyances étaient — dans l'aberration — supérieures à celles des Vikings du temps passé.

Une nuit, Marion qui ne parvenait pas à trouver le sommeil à cause du froid pénétrant fut intriguée par un bruit mat, répétitif, qu'elle identifia comme le ricochet d'une pierre sur la glace. Cédant à une impulsion, elle sortit en hâte. La lueur mourante du feu de camp éclairait seule le campement. La sentinelle enveloppée dans ses fourrures avait fini par s'assoupir. Mue par un pressentiment, la jeune femme courut vers les statues. Quelque chose la frappa entre les omoplates, lui coupant la respiration. Un caillou, lancé avec une force peu commune. Tout à coup, elle comprit ce qui se passait : quelqu'un essayait de briser les divinités à l'aide d'une fronde !

Jusqu'à présent, les projectiles avaient ricoché sur les montants des traîneaux et les piédestaux sans porter préjudice aux grandes figures de glace, mais cela ne durerait pas... Marion poussa un cri d'alarme, réveillant la sentinelle. Les bras étendus, elle s'interposa entre les dieux et le frondeur invisible. Un second caillou la toucha à l'épaule, un troisième entre les seins. Si elle n'avait pas été emmitouflée de fourrure, elle aurait saigné sous la force de l'impact.

La sentinelle ne comprenait pas le sens de sa gesticulation. Terrifié par cette sorcière qui battait des bras comme si elle essayait de s'envoler, il serra les poings sur sa lance, hésitant à l'embrocher.

Svénia daigna enfin se montrer. Marion lui expliqua ce qui se passait. Au même instant, une nouvelle pierre siffla dans la nuit en direction des sculptures. Qui maniait la fronde ? Et où se cachait-il ?

Quand Rök prit les choses en mains, il était trop tard, les tirs avaient cessé. On eut beau explorer les environs, on ne trouva rien. L'ennemi avait pris soin de balayer ses traces en s'enfuyant, de manière qu'on ne puisse se lancer à sa poursuite.

Rök, inquiet, examina les totems de glace. Faute de lumière — il aurait fallu approcher une torche pour y voir clair! — cette inspection fut sommaire, et Marion songea qu'il serait impossible de relever les préjudices subis par les divinités avant le lever du jour.

— On a essayé de briser les dieux, dit-elle. Quelqu'un qui lançait des pierres depuis l'un des tumulus bordant le campement. Qui? Et pourquoi?

Elle demanda à la servante de traduire ses questions. Rök se détourna sans répondre.

L'instant d'après, il commanda à ses guerriers de se saisir de la sentinelle qui s'était assoupie près du bivouac, et lui creva les yeux avec son poignard. Pendant que le malheureux hurlait, Svénia expliqua :

— Rök dit qu'il est inutile que cet homme ait des yeux puisqu'ils ne lui servent qu'à dormir. En les lui crevant, il dispense ce paresseux de l'effort d'avoir à fermer les paupières.

Marion se cabra.

— Que va-t-on faire de lui? s'enquit-elle.

Svénia haussa les épaules.

— On l'abandonnera dans la neige; les loups s'en chargeront.

Il n'y avait pas à protester. L'ymagière regagna la tente. Il lui fallait attendre l'aube en priant pour que les statues n'aient pas été écornées par les pierres du mystérieux frondeur.

Ce fut une longue nuit. Heureusement, lorsque le jour se leva, on ne constata aucune dégradation. Pourtant le mystère demeurait : quelqu'un avait bel et bien tenté de briser les statues pour priver le clan de la protection d'Odin.

Les chiens s'élancèrent et les patins des traîneaux émirent leur déchirement plaintif. Au moment du départ, Marion se retourna. Près du feu éteint, la sentinelle aveugle tournait en rond, les bras tendus.

— Il n'a pas supplié qu'on l'emmène, remarqua-t-elle.

— C'est un Viking, lâcha Svénia. Il mourra en silence, même quand les loups lui arracheront les entrailles.

CHAPITRE ONZE

Le fantôme continua à les harceler. Il était là, rôdant, invisible, toujours présent. À la halte, les gens du clan n'osaient s'écarter du bivouac. Rök fit tendre des paravents de cuir autour des totems pour les protéger d'un éventuel jet de fronde. Le spectre changea aussitôt de stratégie. Dès la nuit tombée, il expédia des boulettes de viande empoisonnée en direction des chiens... qui s'empressèrent de les dévorer. À l'aube, tous les mâles dominants des principales meutes étaient morts. Décontenancés, les malamutes s'emmêlèrent dans leurs harnais et commencèrent à se mordre.

« On veut nous faire perdre du temps, songea Marion. En nous ralentissant, on nous offre en pâture au soleil. »

De plus en plus fréquemment, elle regardait derrière elle pour suivre l'installation du printemps dans la vallée. Les couleurs changeaient, devenaient plus chaudes. C'était comme une nappe dorée qui, lentement, s'étendait de prairie en prairie. La neige se résorbait, coulait dans l'épaisseur de la terre.

Les patrouilles, les sentinelles demeurèrent impuissantes. Il fallut museler les bêtes pour la nuit.

Quand on atteignit les premiers contreforts de la montagne, Rök se rasa la barbe. Marion eut alors la surprise de découvrir qu'il était beau. Jusque-là, elle n'avait guère prêté attention à la physionomie des Vikings, que la surabondance d'attributs pileux rendait curieusement identique d'un individu à l'autre. Le visage glabre, Rök devenait différent, plus jeune, plus civilisé. Mais peut-être pensait-elle cela parce qu'en France, les chevaliers avaient abandonné depuis longtemps le port de la barbe et des cheveux longs ?

— Il se purifie parce que nous nous rapprochons du glacier, chuchota Svénia. C'est un rite. Il offre son visage au froid en manière de sacrifice. Il espère également se faire reconnaître des dieux et bénéficier de leur soutien.

Marion ne fut pas longue à remarquer que toutes les femmes de la tribu coulaient vers Rök des regards en coin.

« Mon Dieu, pensa-t-elle, c'est vrai qu'il a l'air, maintenant, d'être le seul homme au milieu d'une horde d'ours. »

Svénia surprit son manège et murmura :

— Une malédiction pèse sur lui. On lui a jeté un sort. Tous les enfants qu'il engendre sont difformes... et il faut les tuer.

— Tous ?

— Oui, c'est ainsi. Les filles du clan sont folles de lui et elles sont prêtes à courir le risque d'accoucher d'un monstre du moment qu'elles entrent dans son lit. Mais chaque fois, les choses se passent de la même manière. Rök les engrosse dès la première nuit et elles donnent naissance à un bébé hideux qu'il faut s'empresser d'aller enterrer vivant dans la neige.

Marion frémit.

— C'est ainsi que vous procédez? demanda-t-elle.

— Oui, fit Svénia. On ne tolère aucune difformité chez les Vikings. Dès la naissance, il faut être parfait ou mourir. C'est pour cela que je préfère te prévenir. Tu ne feras pas mieux que les autres filles, n'y compte pas. Si tu couches avec Rök, tu te découvriras enceinte à la prochaine lune, et tu pleureras toutes les larmes de ton corps lorsqu'on t'arrachera ton bébé pour aller l'offrir en pâture aux loups.

— Je ne veux pas coucher avec Rök, riposta Marion. Et encore moins porter son enfant.

Svénia haussa les épaules et prit cet air finaud qui avait le don d'exaspérer Marion.

— Elles disent toutes ça, ricana-t-elle. Au début, du moins... Tu n'es pas différente des autres, tôt ou tard tu y viendras toi aussi.

Un matin, la tailleuse de pierre remarqua un long vieillard qui somnolait à l'écart du campement, comme s'il lui était interdit de se mêler aux autres. Il avait une belle figure empreinte de noblesse et une barbe grise nattée. Sa terrible maigreur le faisait paraître âgé, mais peut-être les épreuves l'avaient-elles précocement vieilli. Son regard semblait ne rien voir de ce qui l'entourait. « Est-il aveugle ? » se demanda Marion. Ce n'était pas la première fois qu'elle croisait son chemin.

Se tournant vers Svénia, elle demanda :

— Qui est-ce?

— Qui? grogna la servante. Il n'y a personne.

— Là! insista Marion, le vieil homme à la barbe nattée.

— *Je te répète qu'il n'y a personne*, martela l'esclave avec une impatience teintée de menace. Si tu vois quelqu'un, c'est qu'il s'agit d'un fantôme.

L'ymagière faillit céder à la colère puis renonça. Son instinct lui soufflait qu'elle touchait à un domaine interdit.

Par la suite, elle revit souvent le vieillard, enveloppé dans son manteau de cuir, ses mains déformées par les rhumatismes agrippées à un bâton de marche.

Les gens le frôlaient sans jamais lui accorder un coup d'œil. On eût dit qu'il n'existait pas. Elle eut soudain peur de se trouver réellement en présence d'un spectre et décida de faire comme les autres. De l'ignorer.

CHAPITRE DOUZE

Le ciel était gris, presque noir, quand ils atteignirent le bord du lac. D'abord, Marion ne distingua qu'un long reflet douloureux au ras du sol, comme aurait pu en produire la lame d'une épée géante, posée à plat dans la neige; en s'approchant, elle comprit qu'il s'agissait d'un vaste point d'eau pris dans la glace. Un lac au centre duquel s'élevait une île à la végétation rabougrie.

Aucun pont ne reliait cette terre à l'une ou l'autre rive. De la berge, on devinait les formes bossues de huttes groupées au pied d'une tour de guet faite de rondins entrecroisés.

Le clan avait mis pied à terre. Les hommes s'efforçaient de calmer les chiens. Rök s'approcha de la berge, le visage inquiet. Une certaine indécision imprégnait ses traits. Marion supposa qu'il hésitait à s'engager sur le lac.

— Que se passe-t-il? demanda-t-elle à Svénia. Pourquoi ne pas contourner le point d'eau?

— Tu n'y es pas! souffla l'esclave. Nous devons aller là-bas, les chiens sont épuisés. Ils ne pourront plus mener longtemps encore le rythme que nous leur imposons; il faut en changer. Et puis nous sommes à court de vivres. On est en train de dévorer les dernières lanières de viande séchée, bientôt il ne restera plus rien. Tu n'as pas l'air de comprendre que la plaine de neige est un désert. On peut y mourir de faim.

— Pourquoi Rök a-t-il peur d'entreprendre la traversée ? interrogea Marion. Je ne suis pas idiote, je vois bien qu'il hésite.

— Il a raison, marmonna Svénia. On ne peut jamais savoir à l'avance comment l'on sera accueilli. Le clan de l'île a ses ennemis... s'il a choisi de vivre ainsi, c'est pour s'en protéger. Si le guetteur nous prend pour quelqu'un d'autre et donne l'alarme, nous risquons d'être engloutis dès que nous serons au milieu du lac.

— Mais les eaux sont gelées, objecta la tailleuse de pierre.

— Que tu es naïve ! soupira la servante. La glace n'est pas aussi épaisse que tu l'imagines. De plus, elle comporte des lignes de faille, des fêlures qu'il suffit de savoir exploiter. Avec un bon maillet et une douzaine de coins de bois fichés aux endroits qui conviennent, on peut faire voler en éclats la couche de glace recouvrant la surface de l'eau. *Pan ! Pan ! Pan !* Et tu vois des fissures s'ouvrir sous tes pieds, courir d'un bout à l'autre du lac... et il est trop tard pour faire demi-tour. Si cela se produit, dis-toi bien que l'eau sera si froide que nous coulerons à pic avant d'avoir pu nager vers la berge. Rök a raison de se montrer prudent. Dès que nous aurons posé le pied sur la glace, notre vie sera en danger.

Elle se tut. Marion frissonna. Le vent lui apportait une odeur de nourriture en provenance de l'île. Elle se surprit à saliver. C'est vrai qu'elle avait faim... Ils avaient *tous* faim. Depuis plusieurs jours, les rations s'amenuisaient.

Rök mit ses mains en porte-voix et cria une

phrase incompréhensible. Ses paroles s'envolaient, pour rebondir sur le lac gelé comme une pierre ricoche sur l'eau. Derrière lui, la tribu retenait son souffle.

— Et si personne ne répond? s'enquit l'ymagière.

— Alors il restera deux solutions, murmura Svénia. Traverser malgré tout ou passer notre chemin... et mourir de faim.

— Nous en sommes là?

— Oui, dès que nous aurons quitté la plaine, il sera inutile d'espérer trouver quelque chose à manger sur les champs de glace. La moitié d'entre nous mourra avant d'avoir atteint la montagne. C'est ainsi depuis toujours.

Rök avait cessé de hurler. Il attendait une réponse, une autorisation. Le sentant vaciller, Marion lui trouva tout à coup quelque chose d'attendrissant. Une fêlure se dessinait enfin sur la carapace de la brute. Elle se traita d'idiote. Elle n'allait tout de même pas tomber amoureuse de ce barbare avec qui elle était incapable d'échanger trois mots!

Elle mesura du regard la distance séparant la berge de l'île. En cas d'assaut, le clan aurait-il le temps de la parcourir avant que la glace ne se fragmente sous ses pieds?

— Va-t-il commander d'attaquer? interrogea-t-elle.

— Il le faudra bien si les autres ne répondent pas, soupira Svénia. Nous n'avons pas le choix. Ce sera alors une question de rapidité. Il faudra courir aussi vite que possible.

— Pourquoi ne pas rester sur la berge, à attendre la fin de la bataille? s'étonna Marion. C'est une affaire d'hommes, après tout.

— Pas chez les Vikings, dit la servante. Les

femmes se battent aussi. Et puis tu es une sorte de totem vivant. Si tu restais en arrière, les hommes penseraient que tu te désolidarises de leur action. Ce n'est pas envisageable. Tu devras charger avec les autres... et je te suivrai puisque je suis ton esclave. (Elle affichait un air sombre.) Ce sera une mort rapide, grommela-t-elle entre ses dents. Dès que tu es dans l'eau, le froid te suffoque tellement que ton cœur éclate. Alors, tu coules au fond, comme une pierre. Il paraît qu'on a l'impression d'être broyée par un poing de fer.

— Un poing de fer..., répéta Marion, malgré elle.

L'attente devenait intolérable. Les dents des enfants claquaient mais aucun d'eux n'osait proférer la moindre plainte.

Alors que Rök se préparait à empoigner sa hache, un cri tomba du haut de la tour de guet.

Marion tourna la tête vers Svénia.

— Ils nous autorisent à traverser, souffla-t-elle, mais il ne faut pas se réjouir trop tôt... c'est peut-être un piège.

En voyant Rök se débarrasser de sa cape de fourrure, la jeune femme sut qu'il s'allégeait en prévision d'un éventuel engloutissement. Elle eut envie de l'imiter. Elle renonça ; de toute manière ç'aurait été inutile, elle ne possédait pas la résistance au froid de ces guerriers qui, encore bébés, avaient ébauché leurs premiers pas dans une neige leur montant jusqu'au ventre.

Rök quitta la berge pour s'engager sur la glace. Le lac semblait une plaque de marbre vitreux. Les Vikings, habitués au gel, s'y déplaçaient avec un remarquable sens de l'équilibre. Certains avaient même chaussé des patins à lame de fer. Marion, elle, dut s'agripper au bras de Svénia pour rester debout.

Le clan avançait sans un mot. Les skis des traîneaux produisaient un bruit lancinant en rayant la glace. L'ymagière regarda autour d'elle. Çà et là, des troncs d'arbres émergeaient, pris dans le socle d'eau solidifiée.

— La couche sera plus mince au milieu, annonça Svénia. Ne regarde pas tes pieds si tu ne veux pas avoir peur.

C'était la chose à ne pas dire. Dès lors, Marion ne put détacher les yeux du sol translucide sur lequel elle progressait. Elle le sentait bouger sous ses semelles. Des grappes de bulles se déplaçaient sous la glace, témoignant de la proximité de l'élément liquide. Elle résista à la vague de panique qui s'emparait d'elle. Un premier craquement se fit entendre, et le clan se figea. Rök gronda. Sans doute pressait-il la troupe de continuer sans à-coups. Le poids des hommes, tous immobilisés au même endroit, risquait de rompre le socle fragile sur lequel ils reposaient.

Marion scruta les lézardes. Elles rayonnaient autour de l'île, telle une toile d'araignée. L'ymagière plissa les yeux, essayant d'imaginer les hommes, là-bas, le maillet levé, s'apprêtant à enfoncer des coins de chêne dans les failles de la glace. Il y aurait un grand « Han ! » poussé à l'unisson... Alors, le couvercle gelé posé sur le lac exploserait en mille fragments.

La peur lui raidit les jambes. Elle dut se contraindre à continuer.

Un piège... oui, ce pouvait être un piège. À mi-parcours sonnerait l'heure de vérité. Elle mesura les distances du regard, une fois de plus. Elles lui parurent infranchissables. Elle avait toujours eu peur de l'eau, l'idée de se noyer la terrifiait.

— Avance ! cracha Svénia en lui expédiant une bourrade dans les reins.

— C'est en train de craquer, haleta l'ymagière. Tu n'entends pas?

— Avance, se contenta de répéter l'esclave.

Marion ne mentait pas. Des bruits secs montaient du sol vitreux. Les lézardes se ramifiaient en arborescences terrifiantes dès qu'on appuyait du talon. Les réseaux de craquelures s'organisaient, se propageant avec rapidité.

« S'ils veulent nous tuer, pensa Marion, c'est maintenant ou jamais. »

Alors, la panique s'empara du clan, et tout le monde se mit à courir, ébranlant le socle translucide. Rök vociféra pour rappeler les siens à la prudence.

Enfin l'on put poser le pied sur la berge. Des hommes sombres, emmitouflés de peaux de bête, formaient le comité d'accueil, l'épée à la main. Marion put vérifier que Svénia n'avait rien inventé : de gros coins de chêne, à demi enfoncés dans les crevasses, sur le pourtour de l'île, n'attendaient qu'un coup de maillet pour déclencher l'engloutissement des envahisseurs.

« C'est leur manière à eux de relever le pont-levis et de se mettre en défense », songea-t-elle, heureuse d'être encore en vie.

Un homme à la barbe noire, très bouclée, vint au devant de Rök. Il ne paraissait guère réjoui de cette visite inopinée.

— C'est Yul, murmura Svénia. Il faut s'en méfier. On dit qu'il ne respecte pas toujours les lois de l'hospitalité.

Derrière le chef, les guerriers formaient une masse de chair et de fer aux visages fermés. On les sentait perplexes, méfiants.

« Ils se demandent s'ils auront à se repentir de ne pas nous avoir noyés », se dit Marion.

Rök parlementait. Il essayait de paraître jovial. Il avait posé ses armes sur la neige. À quelques pas, lui faisant face, Yul semblait aussi rigide que les statues dont l'ymagière corrigeait les traits chaque matin. Elle remarqua que les gens de l'île regardaient dans sa direction, et elle recula en prenant soin de dissimuler ses mains gantées de fer dans les plis de son manteau.

— Yul se fait prier, chuchota Svénia. Il n'est pas disposé à nous céder une partie de ses vivres. Il prétend qu'il doit conserver ses réserves intactes au cas où ses ennemis l'assiégeraient.

— Tous les clans ont donc des ennemis ? soupira Marion.

— Inévitablement, fit la servante. Sur chaque clan pèse la contrainte d'une vendetta, je te l'ai déjà expliqué. Rök a ses ennemis, Yul les siens. Parfois, la cause des querelles remonte si loin dans le temps qu'on ne sait même plus pourquoi l'on continue à se trucider de génération en génération.

L'atmosphère devenait lourde. Enfin, Yul s'anima, il finit par inviter Rök et ses lieutenants à le suivre. Le village se composait de maisons basses, sans fenêtres, et couvertes de neige. Partout, les visages étaient maussades, hostiles.

— L'arrivée du printemps les inquiète, expliqua Svénia. Quand la glace qui recouvre le lac aura fondu, il sera beaucoup plus facile d'attaquer l'île. Tout l'hiver, ils disposent du piège des crevasses, de la stratégie du coup de maillet qui peut, en un instant, faire disparaître le sol sous les pieds des attaquants, mais l'été il n'en va plus de même. Les eaux se réchaufferont, elles aussi, on pourra y nager sans craindre d'être tué par le froid.

Marion, considérant les masures décrépites et les hardes des habitants, se fit la réflexion que les attaquants ne devraient pas espérer ramasser grand butin ici.

Svénia la poussa dans une maison obscure, tout en longueur, où régnait une odeur épouvantable. Quand ses yeux furent accoutumés à la pénombre, elle comprit d'où provenait cette puanteur. Un cadavre en décomposition était accroché par le col à la poutre maîtresse, tel un pendu offert en pâture aux corbeaux.

— Qui est-ce ? chuchota Marion. Je croyais que les Vikings brûlaient les morts.

— C'est Anskar-aux-mains-longues, répondit Svénia en conservant les yeux baissés. Le père de Yul. Il a été assassiné par traîtrise. Il n'y aura pas de funérailles tant qu'on n'aura pas réussi à le venger, c'est la règle sur l'île. Si on commettait l'erreur de l'inhumer maintenant, il se relèverait d'entre les morts pour hanter les vivants. Il est préférable qu'il reste comme ça, au milieu des siens.

On s'assit autour de la table, les femmes firent circuler de la bière dans des hanaps et des cornes. Marion posa ses mains gantées sur ses cuisses. Les regards des hommes filaient vers elle, à la dérobée. Yul semblait l'épier avec une sorte de convoitise apeurée. Les guerriers parlaient d'une voix sourde, hargneuse, tapant parfois du poing sur la table pour souligner leurs propos. Peu à peu, l'air se chargeait d'une odeur de sueur et de colère. Au-dessus des convives, le cadavre continuait à se balancer en faisant crisser la corde le retenant à la poutre.

— Yul se fait tirer l'oreille, marmonna Svénia. Rök lui a déjà offert en paiement les filles enlevées lors du sac de l'abbaye où tu travaillais. Il dit que ce n'est pas assez. Il prétend qu'on va probablement l'assiéger et qu'il aura besoin de toutes ses réserves. Rök lui a répondu qu'il n'aura qu'à pendre les filles au saloir après en avoir usé.

— C'est une plaisanterie ? souffla Marion.

— Pas sûr ! grogna la servante. On m'a déjà raconté des histoires semblables. Quand on ne trouve plus rien à manger sur le grand désert de glace, les gens n'hésitent pas à se dévorer les uns les autres. C'est d'ailleurs ce qui pourrait nous arriver si Yul se mettait en tête de compléter ses provisions à nos dépens. Il faut se méfier de l'hospitalité des inconnus. Comment savoir s'il ne nous a pas laissés aborder sur sa foutue île dans l'unique but de nous mettre au saloir ? Cette nuit, il faudra garder un œil ouvert. Ses guerriers sont plus nombreux que les nôtres.

Marion serra les dents. Les choses paraissaient prendre mauvaise tournure.

« Nous nous sommes peut-être jetés dans la gueule du loup », pensa-t-elle. Tous ces hommes, avec leurs trognes de tueurs sanguinaires, lui faisaient horreur. Elle aurait voulu se trouver à cent lieues de là. L'odeur du mort pendu à la poutre lui levait le cœur. Elle songea que le clan de Yul se retrouvait chaque soir autour de cette même table pour dîner... et que le bruit des mastications devait masquer celui de la corde grinçant sous le poids du défunt.

À certaines inflexions de voix, elle devinait que Rök essayait de conserver son calme mais que la discussion devenait houleuse.

Cela dura longtemps. Les filles furent échangées contre de la viande boucanée, les garçons contre des bouses sèches, car il était vain d'espérer trouver des branchages sur le glacier. Marion aurait voulu intervenir, protester, mais elle se tenait coite, écrasée par la peur et la répulsion que lui inspiraient ces individus. Yul coulait de fréquents regards dans sa direction. Elle fut soudain terrifiée à l'idée qu'il pourrait la réclamer, elle aussi. Rök refuserait à coup sûr... et ce serait le massacre.

Il parlait d'elle, il la désignait du pouce sans oser la dévisager franchement, comme s'il la craignait, d'une certaine manière. Elle se pencha vers Svénia pour obtenir des explications. Elle ne voulait ni être vendue ni même prêtée à ces sauvages. Elle s'imaginait déjà, jetée dans le lit de Yul... Rien ne la protégeait ici. Sur l'île, on n'accordait peut-être aucune importance au « pouvoir magique » de ses mains ?

— Que manigancent-ils ? s'enquit-elle.

Svénia fit la grimace. Elle était devenue blafarde.

— C'est mauvais, chuchota-t-elle. Yul a entendu raconter que tu es une sorcière. Il sait que tes doigts peuvent donner la vie aux choses inanimées. Il pense qu'à force de toucher les dieux, un peu de leur puissance est passée dans tes paumes. Il dit que tu es une sorte de déesse. Il veut...

— Quoi ?

— Il veut que tu pétrisses des soldats avec de la neige et que tu les rendes vivants par ta magie. Oui... c'est cela, il exige que tu lui fabriques une armée de bonshommes de neige qui le défendra contre ses ennemis.

Marion se rétracta. C'était l'épreuve qu'elle redoutait depuis le début. Si on la mettait au pied du mur, son imposture deviendrait évidente.

— C'est impossible ! haleta-t-elle.

Svénia eut une crispation de terreur.

— Ne dis *jamais* ça, siffla-t-elle d'une voix où perçait la haine. Tu nous condamnerais tous. Si tu ne veux pas le faire, trouve une autre justification, mais par pitié, n'avoue surtout pas que tu en es incapable. Notre survie dépend de tes talents de sorcière.

Maintenant, Rök parlait d'une voix sourde. Le

visage de Yul s'était fermé. Cet homme inspirait à Marion une répulsion physique peu commune. Cela tenait moins à son apparence physique qu'à l'aura de bestialité qui le nimbait. On le sentait prêt à tout, ne respectant rien, sauf la loi du plus fort.

— Rök essaye de gagner du temps, chuchota Svénia. Il dit que les dieux verraient d'un mauvais œil que tu dilapides ton pouvoir pour des bonshommes de neige. Il exhorte Yul à la prudence mais l'autre ne veut rien entendre. C'est grave. Les choses peuvent mal tourner d'un instant à l'autre.

Marion ferma les yeux. Que faisait-elle ici au milieu de ces brutes superstitieuses ? S'imaginaient-ils réellement qu'on pouvait donner vie à des statues de neige ?

Brusquement, Yul se redressa, le visage fermé.

— Le conseil est terminé, annonça Svénia. Rök a exigé un délai de réflexion. C'est mauvais, Yul peut ordonner à ses guerriers de nous égorger pendant la nuit. *Il te veut.* Il est persuadé que tu es la solution à son problème. Il va peut-être tenter de liquider tout le clan pour t'avoir, toi... et toi seule. (Elle grimaça avant d'ajouter :) En attendant, il nous offre l'hospitalité.

La troupe quitta la maison dans un silence de mauvais augure. Yul marchait, le sourcil froncé, comme s'il remâchait de sombres calculs. Quand il souriait, il avait l'air d'un loup montrant les crocs. Il guida les arrivants vers une vaste hutte délabrée, au centre du village. C'était une habitation de branchages tressés, aux interstices colmatés à la boue.

« On dirait une gigantesque cage... », pensa Marion. Il serait facile aux hommes de Yul de mettre à profit les espacements entre les branches pour décocher des flèches sur les dormeurs.

« Ainsi, ils pourront nous tuer depuis l'extérieur, sans avoir à entrer en corps à corps. »

Yul et ses guerriers improvisèrent une fête qui sonnait faux et mit tout le monde mal à l'aise.

On alluma des torches et l'on fit circuler une mauvaise bière amère. Le moment du troc arriva. Les femmes et les gamines qui avaient été enlevées en même temps que Marion à l'abbaye de Saint-Thélème furent offertes aux hommes de l'île. Elles ne hurlèrent ni ne se débattirent, car elles avaient été violées tant de fois depuis le début du voyage qu'elles subissaient désormais les étreintes masculines dans une sorte d'état second qui les faisait paraître à peine vivantes. Cette passivité exaspérait les guerriers car ils n'éprouvaient aucun plaisir à manipuler ces poupées de chair inertes. Il n'était pas rare de voir ces joutes amoureuses se terminer de sanglante façon.

— Ce sont des sauvages, marmonna Svénia. Tu sais qu'ils ne quittent jamais l'île pendant la saison chaude ? Ils n'ont pas de bateau... Ils n'en ont même jamais fabriqué de leur vie.

— C'est vrai ? s'étonna Marion.

— Oui, confirma l'esclave. Ils se risquent sur le continent lorsque le lac gèle... et encore pas longtemps. Sinon, ils passent les beaux jours ici, à manger leurs provisions. Quand elles sont épuisées, ils essayent de pêcher en lançant des lignes depuis la rive... Si le poisson vient à manquer, ils tirent au sort pour déterminer qui, parmi les membres du clan, sera mis à cuire et dévoré. Généralement, ce sont les esclaves qui font les frais du « dîner ». Ce sont des sauvages. Rök a eu tort de nous amener ici.

Elle continua à grommeler de manière inintelligible en agitant la tête.

Des jeunes filles passèrent parmi les groupes pour distribuer de la viande en saumure. Les portions s'avérèrent plutôt chiches. Svénia chipotait dans son écuelle, tournant et retournant les morceaux du bout des doigts.

— Savons-nous seulement ce que nous sommes en train de manger ? gémit-elle. Si ça se trouve, tu as dans ton assiette les derniers voyageurs qui ont bénéficié de l'hospitalité de Yul.

— Ça suffit ! s'impatienta Marion que ces histoires de cannibalisme indisposaient.

— Ne fais pas ta mijaurée, répliqua la servante, enivrée par la bière rustique. Tout le monde sait que Yul achète beaucoup trop de sel alors même qu'il ne chasse pas. À quoi veux-tu qu'il emploie cette saumure ? *Hein ?* Il ne faut pas se faire d'illusions, c'est là que finiront les filles que Rök lui a données ce soir. Quand les hommes seront lassés de s'amuser avec elles, on les mettra au saloir.

Elle radotait. Marion décida de ne plus l'écouter. D'ailleurs, Rök venait de s'agenouiller près d'elles, le visage soucieux. Il se mit à parler entre ses dents, comme s'il craignait d'être entendu.

Svénia dut se résoudre à traduire.

— Il dit que tu devras modeler les bonshommes de neige, demain matin. Sinon Yul ne nous laissera pas repartir. Il est désolé, il n'a pas pu faire autrement. C'est un compromis boiteux.

Marion sentit son estomac se nouer.

— J'accepte, murmura-t-elle, mais il faudra partir tout de suite après. Il devra leur expliquer que les guerriers de neige prendront vie si les ennemis de Yul s'approchent de l'île, et en cette unique occasion. Tant qu'il n'y aura pas danger en vue, ils resteront inertes et conserveront leur aspect de bonshommes de neige, pour ne pas éveiller la curiosité des étrangers. Cette immobilité leur servira de camouflage.

C'était une ruse grossière — énorme ! — mais

elle était dans l'incapacité d'en imaginer une autre, plus crédible. Elle misait sur la superstition du peuple de l'île pour sauver sa vie et celles de ses compagnons.

Elle fut remuée par l'angoisse qu'elle devinait dans le regard de Rök. Ainsi, ce colosse n'était pas aussi invulnérable qu'il essayait de le paraître... Une brusque chaleur lui emplit le ventre et elle se sentit lourde d'un désir inopportun qui l'irrita. Elle répéta ce qu'elle venait de dire, plus lentement. Elle craignait que Rök ne flaire, lui aussi, la supercherie. Seule sa qualité de « sorcière » la maintenait en vie, elle ne devait jamais perdre ce précepte de vue. Redevenue femme ordinaire, elle connaîtrait un sort analogue à celui des pauvres filles de l'abbaye, échangées ce soir contre dix quartiers de viande séchée.

— Je façonnerai les statues, capitula-t-elle. Puis nous traverserons aussitôt... C'est important.

— D'accord, chuinta la vieille, mais ça aura l'air d'une fuite.

— Je sais, s'impatienta Marion. Je n'ai pas de meilleure idée. Il faudra prétendre que nous craignons le dégel...

Tout reposerait sur la confiance que Yul accorderait à son « pouvoir magique ». S'il réalisait qu'on l'avait berné, il aurait beau jeu de commander aux porteurs de maillets de fracasser la pellicule de glace couvrant les eaux.

— Pourquoi ne pas dire à Yul que les bonshommes fondront dès que le soleil réchauffera la campagne, proposa-t-elle, et qu'il est bien inutile de perdre du temps à façonner une armée aussi éphémère ?

Svénia haussa les épaules.

— Rök y a déjà pensé, souffla-t-elle. Mais l'autre

ne veut pas en démordre. Il mise sur le mauvais temps. Il espère que ses guerriers de neige dureront plus longtemps que prévu.

— La peste l'emporte! soupira l'ymagière.

Elle se domina car les yeux de Rök fouillaient les siens. Il était intuitif, comme tous les chefs de clan guerrier; habitué à suivre ses impulsions. Elle ne pouvait s'offrir le luxe d'avoir l'air de douter de ses propres pouvoirs.

Les réjouissances s'achevèrent quand la bière eut embrumé les esprits. Rök et les siens furent alors conduits — pour ne pas dire poussés — dans l'étrange hutte en forme de cage.

La nuit s'installait, des flocons de neige vole-taient. Rök disposa ses hommes en cercle après leur avoir commandé de se couvrir de leurs boucliers. En dormant ainsi, ils seraient protégés d'une éventuelle grêle de flèches tirée de l'extérieur. Marion compre-nait son souci. Les interstices qui s'ouvraient entre les branches disjointes ressemblaient un peu trop à des meurtrières.

Il demanda ensuite aux femmes, aux enfants, de se rouler en boule derrière les ballots descendus des traîneaux. Il convenait de prendre toutes ces précau-tions sans en avoir l'air, de feindre la confiance alors qu'on se préparait au pire.

— Rök pense que Yul va nous attaquer, c'est ça? demanda Marion.

— Oui, admit Svénia. Tu es trop tentante... En ce moment même, Yul est en train de se dire que ses ennuis seraient finis s'il t'avait en permanence sous la main. Tu pourrais fabriquer une armée de bons-hommes de neige, sculpter des dieux de glace. Avec toi, le clan de l'île serait définitivement à l'abri du malheur.

— Mais tu sais bien que..., commença l'ymagière.

Elle se tut. Elle avait failli dire : « Tu sais bien
que je n'ai aucun pouvoir. »

Rök s'approcha d'elle et lui fit signe de se placer
au centre du cercle formé par le clan, tel un totem
vivant. Il murmura quelque chose, d'une voix
sourde.

— Il dit que tu es la seule à ne courir aucun danger, traduisit Svénia. Yul tuera tout le monde, sauf
toi, c'est sûr.

Rök se coucha à son tour, en prenant soin de se
couvrir le plus possible avec son bouclier de bois.

Tout le monde avait déployé sur soi d'épaisses
fourrures qui, espérait-on, arrêteraient les flèches si
les guerriers de Yul se décidaient à passer à l'action
au cours de la nuit.

— À présent, il faut attendre, gémit Svénia. Nous
sommes dans la nasse. S'ils veulent nous cribler de
traits, ils n'auront pas de mal à nous prendre pour
cible, c'est certain.

Marion éprouvait un horrible sentiment de culpabilité. Tous ces gens risquaient de mourir à cause
d'elle... pour un pouvoir magique qu'elle n'avait
jamais possédé. *Pour rien.*

Ils étaient là, massés, hommes, femmes, enfants,
vieillards, telles les futures victimes d'un holo-
causte. On allait simplement attendre qu'ils s'endorment, que les vapeurs de la bière fassent leur effet,
ensuite...

Svénia la tira par la manche pour la forcer à
s'allonger. La vieille femme se colla contre sa maîtresse.

« Garce ! songea l'ymagière. Elle sait bien
qu'ainsi, on n'osera pas la prendre pour cible, de
peur de m'atteindre. »

Le silence régnait sur l'île. On n'entendait plus que le vent, dont les bourrasques se chargeaient de neige et d'esquilles de glace en balayant la surface du lac gelé.

Autour de Marion, les respirations se faisaient haletantes. Personne ne parlait et c'est à peine si les enfants osaient encore pleurer. Rök se tenait contre Marion, la main serrée sur le manche de son marteau de combat. L'ymagière ne parvenait pas à se défendre contre le trouble qui s'emparait d'elle. Ce corps puissant, couturé de cicatrices, qui frémissait le long de son flanc, ne la laissait pas indifférente. Elle avait l'illusion d'être couchée contre une bête fauve s'apprêtant à bondir. Cela l'effrayait et l'excitait tout à la fois. Les muscles de Rök avaient la dureté de la pierre et sa main était assez large pour emprisonner les deux poignets d'une femme. Marion réalisa soudain qu'elle aurait aimé le voir nu... et se coucher sur lui. Il y avait si longtemps qu'elle n'avait pas fait l'amour. Dans l'obscurité, ses joues devinrent brûlantes. Pourquoi de si curieuses pensées lui venaient-elles en ce moment précis ?

« C'est à cause de la mort, songea-t-elle. De la mort qui rôde. »

Elle ne l'ignorait pas, les orgies les plus folles ont souvent lieu au cœur des forteresses assiégées, dans un climat de famine et de désespoir absolu.

Elle avait chaud, trop chaud... À présent qu'on avait éteint la dernière torche, les ténèbres écrasaient l'île. Cela n'avait guère d'importance, les guerriers de Yul connaissaient assez bien l'endroit pour se déplacer sans lumière. Marion tendit l'oreille, guettant d'éventuels craquements de brindilles. Les archers approchaient-ils à pas de loup, un trait déjà encoché ? Jetteraient-ils une torche dans la hutte, au dernier moment, juste avant de tirer ? Elle croyait presque les voir, embusqués dans les interstices des branchages disjoints. Elle s'aperçut qu'elle tremblait. Elle se faisait horreur. Tous ceux qui l'entouraient allaient mourir à cause d'elle ! Parce qu'un chef superstitieux s'était mis en tête de s'approprier la sorcière venue de France. Comme elle s'agitait nerveusement, la main de Rök se posa sur sa hanche pour la forcer à l'immobilité. Le contact de cette paume masculine lui brûla la peau à travers l'étoffe de sa robe, et elle eut brutalement envie que ces doigts se mettent à courir sur son ventre nu... entre ses jambes. Elle se retint de gémir. L'angoisse la rendait folle. Elle se savait sur le point de fondre en larmes. La main de Rök était toujours là, immobile, grosse bête chaude que le maniement de l'épée et de la rame avait recouverte de cals. Si ses propres mains n'avaient pas été enfermées dans des gantelets d'acier, Marion aurait probablement écarté ses vêtements pour offrir sa chair aux explorations du chef viking. Elle enrageait qu'il ne se décidât point à aller plus avant. Elle n'avait pas envie d'être respectée comme une déesse, pas ce soir... ce soir qui puait la mort, ce soir où la camarde achevait ses préparatifs dans l'ombre.

Mais Rök s'éloigna après avoir murmuré trois mots sans signification pour l'ymagière.

Ce fut une nuit interminable. Fauchée par l'épuisement, Marion finit par s'endormir. Elle rêva qu'elle était couchée nue contre un ours qui lui tenait trop chaud. Elle était heureuse de sentir ce poids sur son ventre, mais la fourrure de l'animal lui emplissait la bouche et l'empêchait de respirer. Elle s'éveilla en suffoquant pour comprendre qu'elle avait le visage écrasé contre la peau de bête dont Rök était vêtu. Le jour se levait. La jeune femme se redressa sur un coude, le cœur battant. Allait-elle découvrir qu'elle avait dormi au milieu d'un amoncellement de cadavres ? Avait-on fléché hommes, femmes et enfants pendant son sommeil ?

— Ne crains rien, lui souffla Svénia. Ils ne sont pas venus. Ils n'ont pas osé. Par peur de t'atteindre. Il est difficile d'ajuster son tir dans une mêlée.

Rök, entendant la voix des deux femmes, se dressa, et donna le signal du réveil en secouant son voisin de droite qui fit de même. Peu à peu, le clan sortit de l'engourdissement. Yul et ses guerriers attendaient déjà.

« Mon Dieu, c'est vrai, se dit Marion, je dois sculpter ses fichus soldats de neige. »

Elle se composa un masque impassible, un visage de marbre comme elle imaginait qu'en possédaient les magiciennes, puis elle sortit de la hutte encadrée par Rök et Svénia. Elle marcha vers Yul et le toisa. Elle prit soin de lever les gantelets à hauteur de ses seins, car elle avait remarqué que les coques de fer impressionnaient les guerriers. Comme elle l'escomptait, Yul eut un imperceptible mouvement de recul. Il craignait lui aussi de tomber en cendres si les doigts de la sorcière le touchaient.

— Libère mes mains, ordonna Marion à Svénia. Répète-leur mes paroles. Ils doivent comprendre que les soldats de neige se mettront en mouvement si un danger se profile à l'horizon. Mais *uniquement* en cette occasion.

L'esclave eut une crispation de la bouche.

« Elle a compris, pensa Marion. Elle ne se fait aucune illusion. Elle a depuis longtemps deviné que je suis dépourvue du moindre pouvoir magique. Elle sait que je tente une manœuvre désespérée pour abuser ces crétins. »

La vieille femme se mit en devoir de traduire.

Tout en parlant, elle débouclait les gants de fer cadenassés sur les poignets de l'ymagière. « Habile ! » pensa celle-ci. Désormais, Yul et ses hommes fixaient ses mains, indifférents à tout le reste. Il était facile de deviner qu'ils se retenaient à grand-peine de bondir en arrière pour ne pas courir le risque d'être effleurés.

— Par là, annonça Svénia. On va te conduire aux tas de neige. Toutefois, il y a un problème. Ils veulent que tu les sculptes à mains nues, sans l'aide d'outil. Ils pensent que, de cette manière, ta sorcellerie passera davantage en eux.

Marion serra les dents.

— C'est dangereux, ajouta la servante. Tu cours le risque d'attraper des gelures graves. Si ta chair meurt au contact du froid, tes mains pourriront. Il faudra t'amputer avant que la gangrène ne monte au cœur... et tu ne vaudras plus rien pour le clan. Je sais ce que je dis, j'ai déjà vu ça. Fais attention.

— Qu'on charge les traîneaux, répondit Marion. Que la tribu se tienne prête à traverser le lac dès que j'aurai fini.

Elle essayait de crâner pour dissimuler sa peur. Sur la rive, là où le clan avait abordé la veille. Les gens de Yul avaient pelleté des monceaux de neige. Marion en dénombra six, plantés comme des cairns funéraires dominant l'eau. C'était beaucoup trop. Si elle devait effectuer un travail de modelage approfondi, elle aurait les doigts gelés à peine le troisième bonhomme achevé.

Yul s'impatientait. Rök dissimulait mal son inquiétude. Entre les cabanes, sur les hauteurs, Yul avait disposé ses troupes en armes. Marion repéra un grand nombre d'archers. Les muscles noués, elle se détacha du groupe et s'avança d'une démarche royale vers la plage. Elle n'avait pas le choix. Ou elle sculptait ces foutus pantins... ou on les massacrait.

Elle s'appliqua à travailler le plus vite possible, mais la neige se révéla horriblement froide. Quand ses paumes, ses doigts, devenaient insensibles, elle les frictionnait pour rétablir la circulation dans ses veines resserrées. Elle tremblait que sa chair ne soit déjà en train de mourir. Elle connaissait le processus : d'abord l'insensibilité, la perte total du toucher... puis, très vite : la pourriture.

Le souffle court, elle essayait d'expédier la dangereuse corvée sans avoir l'air de bâcler la besogne. Par bonheur, son talent était assez grand pour faire illusion.

Quand elle acheva la sixième statue, elle ne sentait plus rien. Ses mains étaient insensibles à partir des poignets. Elle les frotta l'une contre l'autre, attendant que les fourmillements de la douleur lui prouvent qu'elles étaient encore vivantes.

Elle scruta ses paumes, les trouva couleur de viande morte. La peur lui mit la sueur aux tempes.

Déjà, Rök prenait congé d'un Yul frappé d'indécision. Les guerriers de neige dressaient leurs silhouettes inquiétantes sur la plage. Le clan s'élança sur la glace. Il fallait traverser au plus vite, avant que Yul ne se découvre berné. Il avait espéré des soldats magiques capables de se mouvoir, on lui laissait des bonshommes de neige aussi inertes que ceux modelés par les gosses de son clan. Combien de temps mettrait-il à décider que la magie de la sorcière française relevait de la supercherie ?

« Aurons-nous seulement le temps de gagner l'autre rive ? » se demanda Marion.

Il ne fallait pas avoir l'air de prendre la fuite, aussi Rök se garda-t-il de fouetter les chiens. On pouvait tout craindre : la méfiance de Yul, sa jalou-

sie de voir un autre clan emmener la magicienne...
Comme tous les barbares, il était esclave de ses
mouvements d'humeur, quitte à les regretter.

Marion avait pris place sur le traîneau conduit par
Svénia. Le crissement des patins sur le lac gelé
emplissait l'air d'un hurlement continu. L'ymagière
comptait les battements de son cœur. En regardant
par-dessus son épaule, elle vit Yul, toujours planté
au bord de la rive, entre les pantins de neige, hésitant sur le parti à adopter. S'il prenait conscience
d'avoir été roulé, il n'aurait qu'à donner l'ordre aux
porteurs de maillets d'enfoncer les coins de chêne
dans les crevasses de la glace pour faire exploser le
socle fragile sur lequel galopaient ses ennemis.

Les premiers traîneaux atteignirent enfin la terre
ferme. Dans son soulagement, Marion s'abandonna
à une crise de frissons convulsifs. Ses mains demeuraient insensibles. Il faudrait attendre la prochaine
étape pour y remédier, les masser avec un révulsif...
Hélas, il serait peut-être alors trop tard pour rétablir
la circulation du sang.

CHAPITRE TREIZE

Le clan filait sur la plaine blanche. À cet endroit, il n'y avait plus trace de végétation. Ni lichens ni arbres morts. Ici commençait le pays de l'éternel hiver où le printemps ne pénétrait jamais. Depuis un moment, les chiens avaient ralenti l'allure car le plateau prenait de l'altitude. Désormais on grimpait vers le glacier. On s'arrêta vers midi, quand les malamutes tirèrent la langue. Le ciel était d'un gris étrange, parcouru de luminescences, comme si des feux follets crépitaient sous le ventre des nuages. Svénia se fit aider de Bjorn, l'ancien tailleur de glace, pour monter la tente. Les deux vieillards ne dissimulaient pas leurs craintes. Leur survie dépendait de celle de Marion. Dès que le petit poêle à graisse fut allumé à l'intérieur de l'abri, Svénia fit asseoir sa maîtresse et déverrouilla les gantelets. Bjorn bredouillait des paroles incompréhensibles.

— Que dit-il? s'enquit l'ymagière.

— C'est un vieux fou, éluda Svénia. Il ne faut pas l'écouter. Il se lamente. Il raconte qu'on va devoir te couper les deux mains, que tu as été folle d'accepter de travailler la neige sans outils...

— Il a raison, soupira Marion. Mais je n'avais pas le choix.

— Prends cette pommade, souffla la servante, masse-t'en les paumes, elle devrait rétablir la circulation et empêcher le pourrissement des chairs. Si ça te brûle, c'est bon signe.

La jeune femme s'empressa d'obéir, mais les objets lui échappaient. Svénia ne faisait pas mine de l'aider, comme si, en définitive, elle craignait elle aussi d'effleurer les doigts de la sorcière.

« Ou alors, songea Marion, cette comédie n'est destinée qu'à Bjorn. »

Elle fut soulagée quand une impression de cuisson s'alluma au creux de ses paumes. Au même instant, quelqu'un pénétra dans la tente. C'était Knut, le jeune guerrier qui, par la faute de Marion, avait subi le supplice de la rame lors du voyage en mer. Il s'agenouilla, les yeux rivés à ceux de la jeune femme et se mit à parler d'un ton sans réplique, à l'intention de Svénia.

— Que veut-il ? s'impatienta l'ymagière.

— C'est assez flatteur pour toi, ricana la vieille. Il dit que si tes mains pourrissent, il se charge de t'amputer lui-même, très proprement. Il a déjà fait ça. Il te prie de croire qu'il sait s'y prendre... Quand tu seras manchote, il s'occupera de toi. Tu n'auras pas à redouter d'être abandonnée aux loups. Il te prendra pour femme, même sans mains. Il dit que ça n'a pas d'importance... et même qu'il préfère ça, car sinon il n'aura jamais aucune chance d'être ton maître. Il te veut. Il dit encore qu'il s'est réjoui quand il t'a vue plonger les mains dans la neige glacée ce matin, car il a pensé que tu te perdais. Il connaît le pouvoir du froid. Il est persuadé que tes doigts vont pourrir dans les jours qui viennent. Il te supplie de ne pas tarder à faire appel à lui pour l'amputation. Il ne faut surtout pas attendre, sinon la gangrène remonte au cœur, et tout est perdu. Il te coupera les poignets avec un sabre bien tranchant et te cautérisera à l'huile bouillante. Il assure que c'est la meilleure méthode. Après, quand tu auras cicatrisé, il te donnera des bracelets d'argent pour cacher tes moignons. Un vrai Viking n'est pas rebuté par les mutilations. Il remercie les dieux de lui avoir donné cette chance de t'avoir.

Svénia cligna de l'œil.

— En fait, je crois que c'est une déclaration d'amour, caqueta-t-elle.

Marion avait serré les poings pour conserver le contrôle de ses nerfs. Le regard de Knut la brûlait, il était plein d'une avidité « innocente », débarrassé de cette inévitable étincelle de lubricité qu'elle rencontrait d'ordinaire dans les yeux des mâles dès lors qu'ils posaient les yeux sur elle.

« Il est fou de moi, comprit-elle. Fou au point d'inventer n'importe quoi pour me posséder. »

Cette étrange adoration lui fit peur. Cependant, elle ne put se dissimuler qu'en cet instant précis, à cette seconde, elle avait envie de lui. S'il l'avait empoignée, elle se serait laissé faire, là, devant Svénia et Bjorn dont elle aurait immédiatement oublié l'existence. Elle ferma les yeux. Le désir lui coupait le souffle. Elle crut qu'elle allait s'évanouir... puis le malaise se dissipa. Elle estima que la fatigue nerveuse poussait ses sens à réagir de manière disproportionnée.

— C'est une offre non négligeable, insista Svénia. Ne la prends pas à la légère. Si tes mains deviennent noires, Rök t'abandonnera sur la plaine... et nous avec. Knut est un bon parti et il est fou de toi. Qu'as-tu besoin de tes mains ? Est-ce que je ne les remplace pas efficacement depuis le début du voyage ? Tu n'auras même pas mal, je connais les drogues qui endorment la douleur. Quand tu reprendras conscience, la souffrance aura disparu, tu entameras une nouvelle vie...

— Tu te fiches de moi ? cria Marion.

— Non, martela l'esclave. Je parle franc, pour ton bien. Il serait plus prudent de ne pas attendre et de te couper les poignets le plus vite possible, avant que la gangrène ne se déclare. Pourquoi pas ce soir ou demain ? De cette façon, tu seras débarrassée de la corvée de sculpture, on ne pourra plus rien exiger de toi. Ne me dis pas que tu répugnerais à te mettre au lit avec Knut, je ne te croirais pas !

Marion se sentit rougir. Elle réalisa que le jeune Viking avait lu le désir dans ses yeux aussi aisément que la servante.

— Non, balbutia-t-elle. Laissez-moi tranquille, je ne veux plus entendre parler de ces horreurs.

— Tu regretteras ce que tu viens de dire quand ta chair se mettra à puer, cracha la servante. Seulement il sera trop tard. Tu ferais mieux de laisser Knut s'occuper de toi cette nuit même. Il assure qu'il nous prendra tous en charge. Il en a les moyens.

— Tais-toi, vieille pie ! hurla Marion. C'est tout ce qui t'intéresse ! Tu crois que je ne vois pas clair dans ton jeu ? Tu serais prête à me découper en morceaux si cela pouvait t'assurer une retraite heureuse.

Knut mit fin à la discussion en se redressant. Il ajouta quelques mots et sortit en s'inclinant.

— Il te supplie de réfléchir, traduisit Svénia. C'est pour ton bien. Si tu es d'accord, il se chargera d'avertir Rök.

Maintenant Marion ne se sentait plus en sécurité.

« Cette vieille folle est bien capable de me faire avaler une drogue pour m'endormir, songeait-elle. Dès que j'aurai sombré dans le sommeil, elle fera chercher Knut et le laissera me couper les mains ! »

116

Cette crainte l'obséda tout le jour et la fit se détourner avec méfiance des aliments que lui présentait la servante. L'amour un peu fou que lui portait le jeune guerrier la troublait. Elle essaya de s'imaginer, mutilée volontaire, livrée au bon plaisir de cet homme, servie par une légion d'esclaves... Non, elle n'était pas tentée! Elle préférait de loin continuer à survivre en taillant la pierre.

Elle fut soulagée de constater que la pommade agissait. Les picotements avaient fini par se changer en une brûlure presque intolérable.

« C'est signe que le sang circule de nouveau sans entrave », se répétait-elle pour se rassurer.

Elle fit part de la nouvelle à Svénia. La servante fit la moue.

— Tu dis ça pour échapper à l'amputation, décréta-t-elle. Tu as tort. C'est une chance que tu ne devrais pas laisser filer.

Comme Marion insistait, elles finirent par se quereller. Bjorn demanda à la jeune femme de lui montrer ses mains. Il les examina sans les toucher.

— Il dit que les gelures s'annoncent par des points blancs, traduisit à contrecœur Svénia. Des macules décolorées... comme la lèpre. Mais il n'en voit pas sur tes paumes.

Elle paraissait mécontente. Sans doute aurait-elle préféré que sa maîtresse devienne la concubine de Knut?

— Ne te réjouis pas trop vite, grommela l'esclave en bouclant les gantelets. Parfois, le mal ne se déclare pas avant deux ou trois jours. C'est alors que les ongles commencent à suppurer.

— Ça suffit, coupa Marion. J'en ai assez de te voir jouer les maquerelles. Depuis que nous sommes ensemble, tu n'as pas cessé de vouloir me fourrer dans le lit de tous les hommes du clan.

— C'est pour ton bien, répéta Svénia. Une femme a besoin d'un protecteur puissant. Tu ferais bien d'en choisir un tant que ta faveur est à son apogée, après il sera trop tard pour avoir la moindre prétention. Et le premier valet de chiens venu pourra faire de toi sa putain.

La tempête de neige cloua le clan au sol. Les chiens creusèrent des trous dans la neige pour s'y enfouir. Très vite, les tentes furent recouvertes et se changèrent en igloos. Marion mit longtemps à trouver le sommeil. Elle mourait de faim, car elle n'avait presque rien avalé de la journée de peur d'absorber une drogue à son insu. Knut leur rendit visite pour prendre des nouvelles de la malade. Quand Svénia lui apprit que Marion se remettrait apparemment sans mal de son aventure, le visage du guerrier aux yeux pâles laissa transparaître une telle détresse que la jeune femme en fut remuée.

CHAPITRE QUATORZE

La tempête souffla trois jours et trois nuits. On eût dit que les génies du glacier refusaient aux nouveaux venus l'accès au territoire des hauteurs. C'est d'ailleurs la rumeur qui, très vite, circula d'une tente à l'autre. Chaque matin, il fallait creuser un tunnel pour sortir des abris. Alors qu'elle allait soulager sa vessie, Marion remarqua une fois de plus la présence de l'étrange vieillard à la longue barbe nattée, qui semblait ne pas participer à la vie de la tribu. Pour affronter les rafales, il s'était recroquevillé au creux d'un manteau-guérite en peau de vache dont il avait rabattu le capuchon sur sa tête. Les sentinelles avaient coutume d'utiliser de semblables dispositifs pour affronter les rigueurs de l'hiver, mais il était étonnant qu'un homme de cet âge fût capable de résister aux descentes de température sans autre protection.

Marion essaya d'accrocher son regard, en vain ; le vieux semblait ne rien voir de ce qui l'entourait. Elle se demanda s'il s'agissait d'un guerrier ayant perdu la raison. Les Vikings n'avaient aucune compassion pour les malades et les blessés, mais ils respectaient la folie car ils pensaient que les aliénés véhiculaient, parfois, les paroles des dieux.

L'attitude digne et lointaine du vieillard dissuada la jeune femme de s'avancer vers lui. Elle avait d'abord eu le réflexe d'aller lui demander s'il avait besoin de quelque chose — elle possédait désormais assez de vocabulaire pour énoncer des choses simples —, toutefois le maintien hautain de l'inconnu la convainquit de s'en abstenir.

Elle regagna la tente et pressa Svénia de questions. Curieusement, la servante — d'habitude si bavarde — fit la sourde oreille. Quand l'ymagière éleva le ton, l'esclave se contenta de grommeler :

— Je te l'ai déjà dit, ne me force pas à radoter ! *Y'a personne, faut pas le regarder.* C'est un fantôme. Oublie-le. Prends l'habitude de considérer qu'il est transparent et tout ira bien.

En y réfléchissant, Marion réalisa qu'effectivement les gens du clan se comportaient tous comme si le vieillard n'existait pas. Même les enfants détournaient les yeux dès qu'un hasard les conduisait à quelques pas de l'inconnu.

« Peut-être s'agit-il d'un banni, songea-t-elle. D'une sorte de condamné intouchable ? »

Elle décida de ne plus insister.

Quand le vent se remettait à souffler, il fallait demeurer enfermé dans les tentes minuscules. Marion en profitait pour parfaire ses connaissances en langue norroise.

— Quelle pitié ! se lamentait Svénia. Tu ne crois pas que tu serais mieux à faire l'amour dans les fourrures, avec un beau gars comme Knut, hein ? Je connais au moins deux filles qui n'auraient pas hésité à se trancher les poignets pour devenir sa femme. Tu as raté une belle occasion de te sortir du guêpier où tu t'es fourrée, oui. Ce garçon t'aurait vénérée comme une déesse.

Elle égrenait cette litanie plusieurs fois par jour, à la grande exaspération de Marion.

— Je dis cela pour ton bien, chuchota-t-elle un soir avec une mimique de connivence. Tu ne sais pas ce qui t'attend là-haut sur le glacier... Jusqu'à maintenant, la chance a été de ton côté, mais je doute que ça dure encore longtemps. Tu ne pourras pas toujours faire illusion. La solution que t'offre Knut est beaucoup moins barbare que ce qui risque de t'arriver dans quelques semaines, si tu échoues. Je n'exagère pas. Rök se montrera sans pitié. Tu auras beau lui faire les yeux doux, si tu portes préjudice aux dieux, tu seras châtiée dans ta chair... défigurée peut-être. Avec Knut, tu resterais belle. On remplacerait tes mains par deux belles imitations en ivoire taillé.

— Assez! soupira Marion. Je ne veux plus entendre parler de ça, c'est clair?

— Quand Rök t'aura coupé le nez et crevé un œil, riposta la vieille, je ne suis pas certaine que Knut veuille encore de toi. C'est maintenant qu'il faut accepter le marché.

Elles faillirent se disputer.

Plus tard, au cours de la nuit, trois flèches percèrent la paroi de la tente et se fichèrent à quelques pouces de la tête de Marion.

Le tir groupé prouvait de toute évidence qu'on avait visé l'ymagière, et seulement elle.

La jeune femme fut réveillée en sursaut par ces gifles sèches, si proches de son visage. Elle mit un moment à comprendre la signification des tiges de bois plantées près de son nez, qui vibraient encore.

Svénia poussa un cri d'alarme. Bjorn s'empara d'un bouclier de bois et le jeta sur l'ymagière pour l'en couvrir. Il fut bien inspiré, car, la seconde d'après, un nouveau trait se planta au centre de l'écu.

Les hurlements de la servante avaient réveillé les dormeurs. Les guerriers jaillirent des tentes, l'épée au poing. Rök n'avait pas même pris le temps de passer un vêtement et allait torse nu, indifférent aux flocons de neige s'accrochant à la toison de sa poitrine.

Encore une fois, l'ennemi invisible avait frappé mais au lieu de s'en prendre aux statues de glace, il avait décidé de s'attaquer directement à celle qui avait la charge de les entretenir.

— Il sait quelle place tu occupes dans la tente, constata Svénia. Il a tiré au jugé, pour te clouer sur ta paillasse. Il s'en est fallu d'un cheveu. Une main plus à gauche et tu prenais les trois flèches dans la gorge.

Marion grelottait. Menés par Rök, les Vikings exploraient les abords du campement. Hélas, les rafales de flocons réduisaient la visibilité à presque rien. Même les torches avaient la plus grande difficulté à rester allumées.

— Pourquoi s'en prend-il à moi ? haleta la jeune femme. Qu'est-ce que je lui ai fait ?

— Je te l'ai déjà expliqué, ronchonna l'esclave en jetant une peau de loup sur le dos de sa maîtresse. En te supprimant, il espère affaiblir le clan. Si tu n'es plus là pour entretenir leur visage, les dieux en prendront ombrage et se détourneront de nous. La malchance reviendra.

Saisissant l'ymagière par les épaules, elle la poussa vers la tente. Bjorn se précipita à leur rencontre en brandissant son bouclier de bois. Affublé de cet ustensile guerrier, il avait l'air ridicule.

Rök réapparut, bredouille. Marion comprit qu'il maudissait le vent dont le souffle avait effacé les traces de pas sur la neige. L'assassin fantôme avait disparu. Les hommes parlaient déjà d'un démon muni d'un arc magique qui s'évanouissait dans les rafales une fois ses forfaits accomplis. Le nom de Loki, le dieu méchant, fut prononcé. Rök posta trois sentinelles supplémentaires aux abords du campement, mais c'était une précaution inutile. Alors qu'il allait regagner sa tente, il s'immobilisa. Le vieillard sans nom, au sujet duquel Marion avait posé tant de questions, était couché dans la neige. Du sang tachait son manteau, trop rouge au milieu de toute cette blancheur hivernale. Une flèche sortait de sa poitrine.

« Le premier trait a été pour lui, se dit Marion. Il se tenait trop près de ma tente, l'assassin l'a éliminé de peur qu'il ne donne l'alerte. »

Rök eut une brève seconde d'hésitation, puis se détourna du corps comme si tout cela n'avait aucune importance. Alors qu'il s'éloignait, le vieillard gémit.

— Attendez! cria Marion. Il est seulement blessé. Il faut le soigner.

Ni Rök ni ses guerriers ne prêtèrent attention à son cri. Svénia elle-même s'interposa.

— Laisse! siffla-t-elle en saisissant l'ymagière par l'épaule. Ça ne te regarde pas. Dis-toi qu'il n'y a personne. Viens, il faut rentrer, tu vas attraper froid. Bjorn a trouvé des boucliers, tu dormiras allongée dessous.

— Lâche-moi! gronda Marion. Je ne rentrerai pas sans cet homme. Aide-moi à l'emmener.

— Il n'y a personne, s'entêta Svénia. Je te jure que tu te fais des idées.

— Arrête ce jeu! explosa l'ymagière. Ce vieillard est en train de se vider de son sang.

Ni Svénia ni Bjorn ne se décidant à bouger,

Marion glissa ses moufles de fer sous les aisselles du blessé et entreprit de le tirer vers la tente. La servante laissa échapper un jappement de détresse. Bjorn paraissait statufié par la panique. La jeune femme continua à traîner le vieillard vers l'abri de cuir. Il ne pesait pas lourd.

« Rien que de l'os, songea-t-elle. Un ramassis de vieux os dans une enveloppe de peau ridée. »

Quand ils furent dans la tente, elle balaya la neige qui le recouvrait. Svénia et Bjorn la rejoignirent enfin. La servante se dépêcha de rabattre l'auvent.

Le vieillard respirait faiblement. La flèche avait transpercé son justaucorps pour se ficher au défaut de l'épaule. Les diverses camisoles et gambisons en peau de lapin dont il était couvert avaient fait obstacle à la pénétration. Il n'en demeurait pas moins qu'il fallait le débarrasser du fer planté non loin du poumon.

À cause des gantelets, Marion ne pouvait manipuler la hampe de la flèche sans risquer de la briser. Elle se tourna vers Svénia pour la supplier de l'aider, mais la servante s'était caché le visage dans les mains et répétait d'une voix hallucinée :

— Il n'y a personne... personne... personne...

Marion ne pouvait compter que sur elle-même. Elle fit deux essais maladroits pour coincer la tige de bois entre ses moufles métalliques mais elle ne parvint qu'à fouailler la plaie. Les dents du vieillard grincèrent sous l'effet de la souffrance.

« Il s'empêche de gémir, songea-t-elle. C'est bien un Viking, cela ne fait aucun doute. »

— Si tu ne veux pas m'aider, ôte-moi les gantelets ! cria-t-elle à Svénia.

L'esclave se roula en boule sur le sol en hurlant de plus belle :

— Personne... personne...

Ne restait plus qu'une solution. Marion se pencha, saisit la hampe de la flèche entre ses dents et redressa la tête d'un coup sec. Le vieillard se cabra quand le fer sortit de son fourreau de chair, et ses mains flétries griffèrent la couverture. La jeune femme se saisit gauchement d'un morceau de tissu et le plaqua sur la blessure, tel un bouchon. Le vieux avait ouvert les yeux. Il ne semblait pas reconnaissant... plutôt furieux. Marion crut discerner une lueur de haine dans son regard. Comme s'il en voulait à la Française de lui avoir sauvé la vie.

« L'aurais-je humilié ? s'interrogea la jeune femme. Aurais-je contrarié ses projets ? Dieu ! Je ne comprendrai jamais rien à ces gens ! »

Rassemblant son maigre vocabulaire, elle lui demanda s'il se sentait bien. Il se contenta de fermer les yeux et de rester ainsi, sans desserrer les dents.

— Je t'avais prévenue, souffla Svénia dans son dos. À présent il va te haïr.

— C'est à cause de moi qu'il a été blessé, riposta Marion.

— Tu ne sais pas ce que tu dis, soupira la servante. *C'était ce qu'il attendait depuis longtemps...* Il guettait l'occasion de mourir en guerrier, il y était presque parvenu... et tu viens de tout flanquer par terre.

L'ymagière se tourna vers l'esclave. Cette dernière affichait une expression résignée.

— C'est un homme travaillé par la honte d'avoir vécu trop longtemps, se décida enfin à expliquer Svénia. Il a raté plusieurs occasions de finir glorieusement... Des combats titanesques où tous ses compagnons sont morts les uns après les autres. Toujours, il survivait. On ne sait pourquoi... Être l'unique survivant, c'est bien quand il s'agit d'une victoire, c'est plus gênant quand la bataille se solde par une défaite. Sa chance insolente a fini par lui tailler une mauvaise réputation. C'est dur à faire comprendre à quelqu'un comme toi, mais on pourrait dire qu'il a fini par vivre sa chance comme une espèce de malédiction, tu vois?

— Je crois, hasarda Marion. Il aurait préféré mourir avec ses amis, c'est ça?

— Oui. Quand il est devenu trop vieux, on l'a écarté des batailles où il n'était plus bon à rien. Du coup, il a été privé du moindre espoir de mourir en combattant, comme un vrai Viking.

— C'est pour cette raison qu'il s'est mis à l'écart du clan?

Svénia esquissa un geste d'impuissance.

— Pas seulement, gémit-elle. C'est plus compliqué.

— Comment s'appelle-t-il? s'enquit Marion.

— Ragnaar, répondit la servante. C'est l'ancien chef de notre clan. Le père de Rök.

Marion frémit.

— Tu as bien entendu, soupira Svénia. Je n'invente rien. Il a donné le pouvoir à son fils quand sa femme — la mère de Rök — a été tuée par nos ennemis. Ce dernier coup du sort l'a brisé. Il n'a pas supporté de n'avoir su défendre son épouse et de lui survivre... Il a préféré renoncer aux honneurs, à ses privilèges, pour mener la vie d'un fantôme. Il nous a ordonné de ne plus jamais lui adresser la parole... de faire comme s'il était invisible. Et de le laisser mourir. C'était sa volonté, c'était son choix.

Marion se rappela que Rök, quand il avait découvert le vieillard blessé, un instant plus tôt, avait également fait comme s'il ne le voyait pas.

« Et pourtant c'est son père ! » pensa-t-elle, stupéfaite.

Ragnaar... elle prononça doucement le nom aux sonorités gutturales, avec l'espoir d'en arrondir les aspérités. Le vieillard l'ignora. Tourné sur le flanc, en dépit de sa blessure, il fixait la paroi de l'abri comme s'il était seul au monde.

— Tu l'as contrarié, insista Svénia. Il va te haïr. Tu viens de le priver d'une mort honorable. Si tu voulais vraiment lui rendre service, tu remettrais cette flèche d'où tu l'as sortie... et tu l'enfoncerais jusqu'à ce qu'elle lui perce le cœur. (Elle inspira profondément avant d'ajouter, d'une voix à peine audible :) À ta place, je n'hésiterais pas à le faire. S'il survit, une fois encore, sa colère sera terrible... Nous l'aurons tout le temps sur le dos et il faudra s'en méfier comme de la peste. Laisse-le crever. Si tu veux, je puis fabriquer une potion qui le videra de son sang... Ce n'est pas compliqué. J'ai ce qu'il faut. De la poudre de sangsue. Les femmes l'utilisent pour provoquer la venue de leurs menstrues. À forte dose, cela fluidifie le sang à tel point que le corps se vide à la première entaille. Laisse-moi. Tu n'auras à t'occuper de rien. À l'aube, il sera plus blanc qu'un bonhomme de neige.

— Non ! lâcha Marion, avec la conviction de faire une erreur.

Elle connaissait sa tendance au sentimentalisme. Dans le monde où elle vivait, il aurait été souhaitable de se montrer plus dure, hélas ! elle en était incapable.

Dans son coin, Bjorn bafouillait avec précipitation. Marion identifia pêle-mêle les mots : *danger... vengeance... colère... précautions...*

— Il dit que j'ai raison, résuma Svénia.

— Je sais, fit la jeune femme. Mais je ne te laisserai pas l'achever.

— C'est à cause de ta religion stupide? caqueta la servante. Une religion de vaincus! Vous adorez un cadavre cloué sur une croix... Pourquoi pas un chien empalé sur une pique ou...

— Tais-toi! ordonna Marion. Tu vas lui faire un pansement. Donne-lui aussi de quoi manger, il ne tient plus sur ses jambes.

— Comme tu voudras, soupira Svénia avec un haussement d'épaules. Tu ne viendras pas te plaindre, ensuite, s'il te tranche la gorge quand tu seras endormie.

Marion surveilla l'esclave pendant qu'elle s'activait. Le vieillard avait décidé de ne pas lui faciliter les choses. Il ne collaborait point et entravait les soins par ses postures renfrognées.

— Même Rök fait comme s'il n'existait pas, reprit Svénia. C'est la volonté de Ragnaar, il n'y a pas à revenir là-dessus. Qui es-tu pour enfreindre les ordres qu'il a donnés avant de se retirer du monde des vivants?

— Vous ne le nourrissez pas?

— Bien sûr que non... Il doit manger des choses qui traînent. Des ordures.

« Des restes que son fils laisse traîner à son intention... », corrigea mentalement l'ymagière. Mais elle n'en était pas tout à fait sûre. Ces gens se révélaient si étranges.

Elle finit par s'assoupir. À l'aube, quand elle ouvrit les yeux, Ragnaar avait disparu, ne laissant derrière lui qu'une tache de sang sur la paillasse de lichen séché. Il avait emporté avec lui la flèche qui avait failli le tuer.

— C'est avec elle qu'il te poignardera, prophétisa lugubrement Svénia. Et tu ne l'auras pas volé.

Quand la colonne reprit la route, Marion essaya

vainement de repérer la longue silhouette du vieux chef à la barbe nattée.

— Ne le cherche pas, grommela la servante. C'est inutile. Tu le verras toujours trop tôt.

CHAPITRE QUINZE

L'ultime course commença. La glace remplaçait la neige. Parfois, les chiens peinaient jusqu'à saigner des pattes. Au matin, il n'était pas rare de découvrir les traîneaux soudés au sol, inamovibles. On n'avançait guère, car il fallait progresser contre le vent déboulant des sommets, qui vous opposait son éternelle salve de grêlons.

Knut vint offrir à Marion un masque de fourrure qui la protégerait de la morsure des rafales. Il restait prévenant, mais son regard brûlait la jeune femme jusqu'au fond du ventre. Jamais aucun homme ne l'avait dévisagée ainsi, avec un pareil désir. C'était troublant, toutefois elle doutait d'être à la hauteur d'une telle passion.

Il lui rendait visite certains soirs. Il arrivait, les bras chargés de viande fumée, d'outres de bière. Il s'installait près du poêle à graisse et se mettait à monologuer. Il racontait l'histoire du clan, sa grandeur, sa décadence... le complot des Invisibles dont les escarmouches avaient causé tant de morts.

— Ragnaar a été un grand chef, traduisait Svénia. Il adorait son épouse, Wanaa, la devineresse, la magicienne. Une femme d'une incroyable beauté. Elle avait des pouvoirs immenses. Quand elle entrait

131

en transe, elle pouvait lire dans le futur, prévoir tout ce qui allait se passer. C'était son don... Pour avoir accès aux secrets de l'au-delà, elle se faisait mordre par des vipères sacrées qu'elle conservait dans un pot. Le venin, courant dans ses veines, lui donnait la fièvre. Alors venait la révélation, au milieu des suées, des cauchemars.

— Cela ne la tuait pas ? s'étonna Marion.

— Non, répondit Svénia. Elle y était habituée depuis l'enfance... mais il y avait un risque, tout de même. Le risque d'aller trop loin. Plus la fièvre était forte, plus la prédiction devenait précise. Elle n'avait pas peur. Quand le clan était en danger, elle acceptait de se faire mordre deux ou trois fois, pour augmenter les effets de l'empoisonnement. Alors, tout ce qu'elle annonçait se réalisait dans les moindres détails. C'est de cette manière que le clan déjouait à l'avance les ruses de ses ennemis, évitait les catastrophes en levant le camp avant qu'une avalanche ne ravage le versant de la montagne. *Wanaa*... elle était belle comme une Walkyrie, grande, la peau laiteuse, la chevelure flottant dans la tempête telle une crinière de lin blanc.

Les mots tombaient de la bouche du jeune guerrier avec la régularité des gouttes d'eau égrenées par une clepsydre. Marion, à sa grande honte, ne parvenait pas à détacher son regard de la bouche du garçon. Les mouvements de ses lèvres agissaient sur elle à la façon des passes d'un hypnotiseur. À intervalles réguliers, elle essayait de cligner des paupières pour rompre le charme, mais le remède restait sans effet.

— Il dit, chuchotait la servante, que Wanaa serait, de toute façon, morte de bonne heure car le poison des vipères la consumait de l'intérieur. Elle s'en moquait. Elle s'était donnée tout entière au clan. Peu lui importait d'abréger ses jours. Elle ne s'épargnait pas. Elle sortait les vipères du pot, et les écrasait sur ses seins pour que leurs crochets crachent le venin dans ses veines. Ragnaar la vénérait comme une déesse. Avec elle, il n'avait peur de rien. Il savait très exactement ce qu'il convenait de faire.

Marion se laissait bercer par la fable et le débit monotone de Knut. Elle avait fermé les paupières à demi, pour mieux l'observer entre ses cils. Il faisait trop chaud dans la tente de cuir, et elle sentait son corps devenir moite. Le justaucorps délacé du jeune homme laissait voir sa poitrine dure, lisse. Marion songea qu'elle aurait aimé y poser sa bouche. Des images curieuses lui traversaient l'esprit. Elle se représentait Wanaa, dressée au bord d'une falaise de glace, face au vent. Une femme dure et belle comme une figure de proue, les seins scarifiés par les morsures de serpent, rendue plus belle encore par ces lacérations... une femme comme une statue de chair vive, avec des yeux si clairs qu'ils avaient l'air de morceaux de cristal sans pupille ni iris. Des yeux pour voir ailleurs... Une femme empoisonnée, une morte en sursis à qui la fièvre ouvrait les portes mystérieuses des choses écrites sur le livre de l'avenir. Une demi-déesse qui acceptait de mourir à petit feu pour sauver ses semblables...

— Wanaa, expliquait Knut par le truchement de la servante, tous les clans nous l'enviaient. Alors, ils ont décidé de la tuer.

Une avalanche provoquée avait suffi à cela. Une falaise attaquée à la hache, dont le surplomb s'était écroulé sur le campement. Des tonnes de glaces s'écrasant sur les tentes, laminant tout, explosant, projetant en tous sens des esquilles tranchantes qui arrachaient les têtes, transperçaient les corps... Un carnage, un cataclysme.

— Wanaa se trouvait à l'intérieur de la caverne des révélations, dit Knut. Une cavité creusée dans le glacier où elle se retirait pour se laisser aller aux soubresauts de la fièvre divinatrice. L'avalanche a comblé ce trou en l'espace de deux battements de cœur. Elle a été emmurée, écrasée sans doute, comme tant d'autres. Il faisait si froid que les blocs tombés des hauteurs se sont ressoudés en quelques instants. Quand on a voulu récupérer sa dépouille, on s'est heurtés à une muraille plus solide que le granit, sur laquelle les outils rebondissaient sans l'entamer. C'était comme si les dieux avaient décidé de nous confisquer Wanaa.

Knut n'était alors qu'un adolescent, mais il avait été frappé par l'image de cette morte dont la glace translucide laissait encore deviner la silhouette écartelée, aplatie, au cœur du glacier.

On avait eu beau s'échiner, rien n'y avait fait. Et puis, il y avait tant de blessés, tant de morts, que Ragnaar s'était bien vite retrouvé seul à creuser, chacun avait ses priorités : une épouse, un fils, coincés sous les blocs, eux aussi.

— Il s'est retourné les ongles, murmura Knut, mais elle était morte, et il n'y pouvait plus rien. Il était inutile d'espérer déplacer une montagne. Il aurait fallu des dizaines de bœufs, des attelages, des chariots. Des chevaux, comme dans la prairie. Il n'y a rien de tout cela sur le glacier. Alors on l'a laissée où elle était... dans son cercueil transparent, morte au beau milieu d'un rêve prophétique. Elle est toujours enfouie là-bas. Intacte, préservée par le froid. Elle est restée jeune, comme au jour de sa mort, alors que Ragnaar a continué de vieillir.

— Que s'est-il passé ensuite ? s'enquit Marion.

Knut baissa la tête et Svénia prit le relais.

— Ensuite ? fit-elle avec une expression d'amertume. Tout est allé de travers. Pendant des semaines, Ragnaar a crié son désespoir. Les loups, croyant reconnaître l'un des leurs, hurlaient de concert. On avait peur, on craignait que ces vociférations ne provoquent de nouvelles avalanches. Il s'est cassé la voix. Après cela, il est devenu presque muet. C'est à peine s'il pouvait encore chuchoter. La malchance s'est acharnée sur le clan. Je t'en ai déjà parlé : des batailles perdues succédant à d'autres batailles perdues... avec Ragnaar pour unique survivant. Les dieux s'étaient détournés de nous. (Un ton plus bas, elle ajouta :) Ce sont là des sujets interdits. D'ordinaire, nous ne les évoquons jamais entre nous. Si Knut a choisi de te mettre au courant, c'est pour te prouver l'intérêt qu'il te porte... et te faire comprendre que pour lui, tu n'es plus une étrangère.

Elle prit prétexte de remplir le gobelet de sa maîtresse pour lui chuchoter à l'oreille :

— Il veut faire l'amour avec toi, profites-en. D'ici peu, nous aurons besoin d'un protecteur. Knut est très aimé, il compte de nombreux partisans. Si un conflit t'oppose à Rök, il sera le seul à pouvoir prendre ton parti.

— Tu veux que je me conduise comme une putain, c'est ça ? ricana Marion.

— Ose dire que tu n'en as pas envie ! caqueta la vieille.

Elle s'éloigna et entraîna Bjorn à l'autre bout de la tente pour laisser les deux jeunes gens en tête à tête. Marion avait trop bu, la bière et la chaleur lui tournaient la tête. Elle avait envie de se laisser aller, non par calcul, mais parce qu'elle désirait sentir le poids d'un homme sur elle. Il y avait trop longtemps qu'elle menait une vie de nonne. En outre, la certitude qu'elle pouvait mourir du jour au lendemain la visitait de plus en plus fréquemment. Trop de menaces s'amoncelaient au-dessus de sa tête.

On n'entendait plus que les grésillements du poêle à graisse et le crépitement des grêlons sur la tente. Il faisait trop chaud, comme dans un igloo. Les vieillards formaient une ombre lointaine et bossue, au fond de l'abri éclairé par la seule flamme du minuscule bivouac. Knut s'approcha de Marion et tendit les mains vers elle. La jeune femme écarta les bras. Les moufles de fer pesaient telles des gueuses de fonte au bout de ses poignets. Les doigts du guerrier dénouaient les lacets de cuir du justaucorps, puis ceux de la chemise. Marion ferma les yeux. La palpitation du désir emplissait son sexe. Elle avait envie qu'il se presse, qu'il la prenne sans attendre. Elle voulait sentir le goût de sa chair dans sa bouche. Elle le mordrait à l'épaule, elle...

Elle se laissa tomber sur le dos tandis qu'il troussait la chemise sur son ventre, lui dénudant les cuisses. Elle était si tendue, si avide, qu'elle se sentait près de hurler... L'impatience la gagnait. Elle rouvrit les yeux. Knut la dominait, nu lui aussi, le torse sabré du bourrelet pâle des cicatrices. Statufié, le regard fixe, il tremblait...

« Il a peur, comprit Marion. Dieu ! *il a peur de moi*. Il me prend réellement pour une déesse, une magicienne... »

Des gouttes de sueur roulaient sur le visage du jeune homme tandis que la fixité de ses yeux augmentait. Ses mains restaient en suspens, n'osant se poser sur la chair de l'ymagière. Que craignait-il ? De tomber en poussière s'il s'enfonçait dans le ventre de cette fille qui s'offrait sans retenue ? Marion eut le réflexe de le saisir aux épaules pour l'attirer sur elle. Ce fut une erreur. Quand les moufles d'acier se posèrent sur la peau du Viking, il bondit en arrière comme si on venait de le brûler avec un fer rouge.

— Knut..., murmura la jeune femme.

Mais il la dévisageait avec une expression halluci-née, presque haineuse. À cause d'elle, il venait de découvrir qu'il n'était pas aussi courageux qu'il l'avait toujours prétendu. Il craignait la magicienne, il avait peur de la ténèbre rougeoyante de son ventre, il redoutait qu'elle n'aspire son flux vital, qu'elle ne le vide comme les araignées le font des insectes pris dans leur toile. Il recula en se rhabillant à la hâte. Il bredouillait des choses indistinctes.

« Non, se dit Marion. Il ne va tout de même pas devenir mon ennemi, lui aussi... J'en ai déjà trop. »

Elle se mit à lui parler d'une voix douce, pour le rassurer, hélas, à chaque geste qu'elle esquissait, le cliquetis des gantelets démentait ses paroles.

Elle voulait qu'il reste, qu'il la prenne dans ses bras. Elle n'exigeait même plus qu'il lui fasse l'amour. Elle avait simplement besoin de la présence de son corps contre le sien. Oui... ils pouvaient pas-ser la nuit ainsi, blottis l'un contre l'autre, ce serait aussi bien. Mieux peut-être. La tendresse, la dou-ceur, au lieu des chevauchements et de la sueur. Voulait-il ?

Elle ne savait plus ce qu'elle disait. Elle eut honte de supplier. Elle pensa que Svénia comprenait tout et ricanait dans son coin.

Knut s'enveloppa dans son manteau et bondit dans la nuit. Par l'ouverture de la tente de cuir, des flocons s'engouffrèrent, déposant leurs baisers gla-cés sur la peau moite de Marion.

Elle se mordit la lèvre pour ne pas pleurer.

Svénia sortit de la pénombre pour relacer l'auvent. Quand elle s'approcha de sa maîtresse, elle faisait triste figure.

— C'est mauvais, dit-elle. Maintenant Knut va te haïr. Tu as été témoin de sa peur... de sa défaite. Il ne peut pas laisser passer une telle chose. Il risque de te détester autant qu'il t'a vénérée. Tu vois, j'avais raison. Tu aurais dû accepter de te laisser trancher les poignets. Ce sont tes fichues mains magiques qui le terrifient. Sans elles, il n'aurait aucun mal à te donner du plaisir.

Elle s'agenouilla et rajusta les vêtements épars de l'ymagière.

— Il n'est peut-être pas encore trop tard, radote-t-elle. Veux-tu que je le rattrape ? Je peux lui expliquer que tu es d'accord pour l'amputation...

Il y avait une telle lueur d'espoir dans ses yeux que Marion en fut effrayée.

CHAPITRE SEIZE

Même lors de son périple à l'abbaye maudite de Saint-Gaudémon, Marion n'avait jamais vu de glacier.

Elle eut l'illusion de contempler un fleuve de verre, une coulée transparente et pétrifiée emplissant la vallée, au cœur de la montagne.

— C'est une rivière gelée, lui expliqua Svénia. On la croirait immobile, mais c'est faux. Elle bouge lentement. Beaucoup plus vite en réalité qu'on n'en a l'impression. Quand on y plante des repères, on s'aperçoit qu'ils se déplacent au fil des ans en direction de la vallée. Tout en bas, au niveau de la plaine, le climat est plus chaud, alors le glacier fond et donne naissance à des fleuves, des torrents.

— C'est là que nous allons? demanda Marion.

— Oui, confirma la servante. C'est là que le piège va se refermer sur toi. Et tu regretteras de ne pas m'avoir écoutée.

La jeune femme haussa les épaules. En réalité, elle se sentait mal à l'aise depuis sa nuit d'amour avortée. Knut ne venait plus les voir, et, quand son traîneau croisait le leur, il s'appliquait à ne pas regarder dans leur direction.

Le fleuve gelé se perdait à l'horizon de la montagne. Le brouillard des sommets en dissimulait la source. La puissance de la coulée était telle qu'elle arrachait des blocs entiers aux parois de la tranchée. Marion avait le plus grand mal à se convaincre que cette immobilité laiteuse était douée de mouvement. Un mouvement lent et continu que rien n'arrêtait.

— Ça bouge, observa Svénia, ça bouge tout le temps. C'est comme si tu étais sur un bateau. La nuit, tu l'entendras craquer. La montagne est moins résistante que cette lame de glace fichée dans son flanc.

Désormais il fallait mettre des cales aux traîneaux quand on s'arrêtait car la pente était assez vive, et l'on risquait de repartir en arrière, perdant en l'espace d'une seconde les quelques centaines de coudées qu'on avait eu tant de mal à couvrir. Marion sentit l'angoisse s'installer. Les membres du clan ne cessaient plus de regarder en tous sens, comme s'ils cherchaient à localiser quelque chose.

— Ils ont peur de ne plus trouver l'entrée de la cité, dit la servante. Il y a un an que nous avons quitté le glacier pour aller vivre au bord de la mer, là où il est plus facile de lancer des expéditions à travers le monde. En un an, les choses changent, les points de repère disparaissent, emportés par la nature.

— Je ne comprends pas, s'étonna Marion. Tu veux dire que vous ne vivez pas dans la montagne?

— Non, confirma Svénia. Le clan habite une ville creusée dans l'épaisseur du glacier. Une cité souterraine. C'est Rök qui l'a voulu ainsi. Quand il est devenu notre chef, il a ordonné des travaux. Pendant trois années, nous avons creusé la glace en profondeur, pour nous installer sous la surface. On ne s'en doute pas, mais une taupinière court sous nos pieds.

— Quelle idée étrange, remarqua Marion. Je pensais qu'il était plus simple et plus sûr de s'installer dans une caverne.

Svénia haussa les épaules.

— C'est la volonté de Rök, soupira-t-elle. Il affirme qu'ainsi nous sommes mieux protégés de nos ennemis... et que les dieux du froid veillent sur le clan plus efficacement. (Elle eut une légère hésitation avant d'ajouter :) Je pense qu'en réalité, il veut avant tout se rapprocher de sa mère... du corps de sa mère qui est quelque part, prisonnier du glacier.

— Mon Dieu ! murmura Marion. C'est comme s'il avait décidé d'habiter son tombeau.

Une brusque chair de poule avait levé le fin duvet de ses bras. En même temps, elle ne put se défendre d'éprouver une peine infinie qui lui amena les larmes aux yeux.

— Il la cherche, chuchota Svénia. Il la cherche depuis des années.

— Vous ne savez plus où elle est ensevelie ?

— Non. En vieillissant, la glace s'opacifie, tu t'en rendras compte. Elle perd son aspect cristallin pour se changer en un bloc blanchâtre qui défie la curiosité. Pendant longtemps, on a pu contempler l'ombre du corps de Wanaa... puis sa silhouette s'est estompée. Aujourd'hui, plus personne n'est capable de localiser sa tombe. L'érosion a raboté les traces laissées par l'avalanche. C'est pour cette raison que Rök nous fait creuser une taupinière. Officiellement, il s'agit d'agrandir la ville. En vérité, il multiplie les couloirs, les souterrains, avec l'espoir de tomber sur la chambre mortuaire. Il se dit qu'à force de forer en tous sens, il finira bien par trouver ce qu'il cherche.

Marion hocha la tête. Tout cela lui inspirait une infinie tristesse... mais distillait aussi en elle une peur étrange. Que penser d'un homme mené par une telle obsession ? Fallait-il le plaindre ou le fuir ?

La nervosité du clan augmenta au fur et à mesure que les recherches demeuraient vaines.

— Pourquoi est-ce si difficile? s'impatienta l'ymagière.

— Tu n'y connais rien, riposta la servante. À ces hauteurs, le froid est tel qu'il obture les orifices à une vitesse stupéfiante. Les crevasses « cicatrisent » à la première chute de neige. Quand nous sommes installés dans la taupinière, il faut prendre soin de déboucher les galeries d'aération tous les jours, sinon nous péririons étouffés.

Rök forma des équipes qui explorèrent le glacier en le sondant à coups de pic. La chose se faisait lentement car le sol glissant multipliait les chutes. À la moindre crevasse, l'espoir renaissait. Hélas, le glacier était parsemé de failles, de lézardes, qui n'ouvraient sur rien. Marion trouvait pénible de se maintenir en équilibre à la surface de ce plan incliné. Des crampes lui raidissaient les mollets.

— C'est un des avantages de la taupinière, fit valoir Svénia. On l'a taillée de manière à compenser la pente, et le sol y est plan.

Rök donnait des signes d'impatience. Sous son irritation, Marion devinait une angoisse grandissante. Soudain, n'y tenant plus, il ordonna l'abandon des recherches.

— Il va convoquer Boulba, la sorcière, soupira Svénia. Cette vieille folle m'a toujours fait peur.

— Une sorcière? s'étonna l'ymagière.

— Une avorteuse, marmonna la servante. Quand une femme est enceinte, Boulba va la voir en lui montrant une petite poupée de cire qu'elle vient de modeler. Elle explique que c'est une représentation exacte de l'enfant qui se trouve en ce moment même dans le ventre de la future mère. Elle insiste beaucoup pour faire comprendre à la pauvre fille que cette poupée est *très* fragile... et qu'il suffirait de lui casser un membre, par exemple, pour que le bébé naisse manchot ou unijambiste. Elle dit qu'elle pourrait veiller à ce qu'un accident de ce genre n'arrive jamais à la statuette, il suffirait pour cela qu'elle la range dans une petite boîte, *mais*...

— Mais cette surveillance de tous les instants mérite rétribution, c'est cela? intervint Marion.

— Oui, confirma Svénia. Les futures mères comprennent vite la menace : si elles ne font pas régulièrement don de nourriture, de vêtements, à Boulba, la vieille saccagera l'effigie magique du bébé, et elles accoucheront d'un enfant tordu que son père s'empressera d'aller jeter aux loups. C'est ainsi que cette vieille garce se fait du lard. En distillant des menaces, mine de rien. En prétendant rendre service. Elle fait régner la terreur parmi toutes les filles engrossées. Tu vas bientôt la voir sortir de sa tente, cette grosse truie pétante de santé.

En effet, une femme au ventre dilaté, enveloppée de chiffons graisseux, émergea de l'un des chapiteaux de cuir. Elle avait des cheveux très noirs et ses yeux se réduisaient à deux fentes. « Une orientale... Une Mongole », constata Marion avec surprise. Elle avait vu des gens de cette race sur les tréteaux d'un forain, à Provins. Ils venaient de contrées si lointaines que personne n'en avait jamais entendu parler.

Mais il n'y avait pas lieu de s'étonner car les Vikings commerçaient avec toutes les terres connues; ils avaient probablement ramené cette femme d'un voyage aux confins du monde.

La bedaine de la sorcière avait néanmoins quelque chose d'étonnant. Si Boulba n'avait pas été aussi âgée, Marion aurait juré qu'elle était enceinte.

Boulba se dandinait sur la glace, une expression de contentement plissant ses traits envahis par la graisse.

Rök lui parlait à voix basse, avec des gestes nerveux.

— De quoi a-t-il peur ? demanda Marion.

— Ici, nous sommes exposés, répondit Svénia. Si nos ennemis se mettaient en tête de prendre position sur les hauteurs du défilé pour nous larder de flèches, il ne leur faudrait pas longtemps pour nous exterminer.

Marion s'approcha. Une curiosité malsaine la poussait à aller contempler la sorcière de plus près. Boulba ne lui accorda pas un coup d'œil. En cet instant, elle était le personnage le plus important de la tribu, et elle en jouissait avec une béatitude non dissimulée. Comme l'Asiatique regagnait sa tente, suivie de Rök, Marion lui emboîta le pas.

Le chapiteau abritant Boulba empestait la crasse et la chair en putréfaction. Des lézards pendus à des ficelles achevaient de se dessécher. Des pots d'onguent en vrac tapissaient les parois. Trois enfants aux traits mongoliques se tenaient recroquevillés dans la pénombre. D'une grande saleté, les cheveux amidonnés par la graisse, ils conservaient les yeux baissés et gardaient une parfaite immobilité. Marion ne put déterminer ni leur sexe ni leur âge. Étaient-ce les rejetons de l'enchanteresse ?

D'un geste, Boulba signifia à ses visiteurs de s'asseoir en cercle. La puanteur des lieux prenait à la gorge.

— Que va-t-elle faire ? chuchota Marion à l'oreille de Svénia.

— Elle va essayer de reconstituer l'ancien rite divinatoire, souffla la servante. Je ne pense pas que cela puisse marcher. Tout le monde n'a pas le pouvoir de Wanaa.

Boulba, qui était restée debout, entreprit de se dévêtir. Chacun de ses mouvements accentuait sa mauvaise odeur. Marion écarquilla les yeux sous l'effet de la stupeur. Elle réalisait soudain que l'embonpoint de la sorcière n'était pas naturel, il provenait du fait qu'elle portait, attachée à la hauteur du nombril, une grosse jarre en terre cuite. Une bande de toile amarrait le récipient sur ses reins. C'était ce pot qui lui donnait une silhouette de femme enceinte !

— Qu'est-ce que c'est ? s'étonna l'ymagière. À quoi rime ce carnaval ?

— Il s'agit de la jarre contenant les vipères sacrées, expliqua Svénia. Boulba les tient au chaud contre ses tripes pour les empêcher de s'assoupir. Les serpents n'aiment pas le froid. Dès qu'ils sentent l'hiver, ils s'endorment. Cela peut se révéler ennuyeux.

Marion fit la grimace. Elle s'imaginait mal réchauffant des reptiles sous sa robe !

— Les vipères sacrées... Tu veux dire que...

— Oui, coupa Svénia. Elle va faire mordre l'une de ses trois filles pour la plonger dans la transe de la fièvre, comme Wanaa autrefois. Elle espère, de cette façon, provoquer chez elle un délire divinatoire permettant de localiser l'entrée de la cité souterraine.

Marion se cabra. Aussitôt, Svénia lui saisit le poignet pour lui intimer de se taire.

— Laisse ! Ça ne te regarde pas. Tu as ta magie, elle a la sienne. Elle ne se mêle pas de tes sculptures de glace, n'est-ce pas ?

Marion comprit qu'elle ferait mieux de se tenir tranquille. D'ailleurs Rök avait l'air trop inquiet pour supporter la moindre contestation.

Boulba acheva de défaire la bande de toile jaunâtre qui plaquait la jarre contre son abdomen et posa le récipient sur le sol. Marion eut un sursaut en entendant s'ébrouer les serpents derrière la paroi de terre cuite. Un couvercle de paille ajouré, maintenu par une corde, fermait la potiche. Boulba dénoua l'attache et le souleva doucement. Elle avait enfilé sur sa main droite un gant de gros cuir rigide. D'un mouvement rapide, elle plongea l'avant-bras dans le pot et saisit l'une des vipères. La bête, mécontente, se mit à fouetter l'air en tous sens. Pendant ce temps, l'un des enfants — une fillette — avait ôté sa camisole pour dévoiler son torse nu. La gamine semblait indifférente. Marion supposa que sa mère lui avait fait avaler une drogue en prévision de la cérémonie.

Boulba avança la main. Entre ses doigts, la vipère ouvrait une gueule haineuse, les crochets dévoilés.

Marion crispa les doigts à l'intérieur des gants de fer. Pour se rassurer, elle se raconta que Boulba prenait la précaution de vider les glandes à venin des reptiles avant de procéder au rituel. Mais était-ce seulement vrai ?

Le serpent mordit la petite fille au sein droit. À cette occasion, l'ymagière nota la présence d'anciennes cicatrices autour du mamelon à peine formé. Ainsi, la gosse n'en était pas à son coup d'essai.

Les crochets avaient creusé deux trous suintants dans la chair de la fillette. Son visage menu avait à peine grimacé sous la morsure. Boulba signifia à ses visiteurs de sortir. À présent, il fallait attendre la venue de la transe divinatoire. La fièvre se déclarerait avant le milieu de la journée.

Rök la salua et quitta la tente ; Marion et Svénia l'imitèrent. Dehors, hommes et chiens s'étaient blottis au pied des traîneaux pour s'abriter des rafales. La plupart d'entre eux coulaient des regards apeurés en direction de leur chef.

146

« Ils ont peur de lui, se dit l'ymagière. Pourquoi ? »

Elle posa la question à la servante qui répondit à mi-voix :

— Rök est un *berserkr*, un combattant fou... Chaque clan en possède un. Quand sonne l'heure de la bataille, l'esprit d'Odin descend en lui et le possède tout entier. Il devient alors une marionnette horriblement destructrice qui peut tordre les épées à mains nues, arracher les têtes d'un coup de poing. Un *berserkr*, c'est une machine à tuer qui massacre en état somnambulique. Quand il a mis en pièces tous ses ennemis, il faut se dépêcher de l'asperger d'eau froide avant qu'il ne tourne sa fureur contre les siens. Toutes les tribus s'enorgueillissent de posséder un *berserkr*, mais elles en ont peur également. Si le mécontentement de Rök se change en colère, personne ne peut prévoir comment les choses tourneront. Il pourrait bien se jeter sur nous et nous tuer tous.

Rök allait et venait, le visage contracté. De temps à autre il levait les yeux en direction des hauteurs et scrutait la découpe du défilé. À force de le voir agir ainsi, Marion s'était laissé contaminer par la certitude qu'on les observait. Il y avait quelqu'un là-haut, embusqué... Un ennemi invisible, une troupe de fantômes sans doute vêtus de blanc, utilisant la neige comme camouflage. Qu'attendaient-ils pour attaquer ?

Au cours du voyage, la jeune femme avait pu à loisir observer le grand arc utilisé par les Vikings. Disproportionné, en comparaison de celui des hommes d'armes français, il était conçu pour que ses flèches traversent cuirasses et cottes de mailles. Il fallait des bras de colosse pour le manipuler, mais les colosses ne manquaient pas chez les barbares de la mer du Nord !

Soudain, Rök saisit sa hache et cria un ordre. Cinq hommes se détachèrent de la masse pour se presser sur ses talons. La troupe quitta le lit du glacier et se lança à l'assaut du versant rocheux.

— Suivons-les ! décida Marion. Je veux voir ce qu'il y a là-haut, je n'en peux plus d'attendre.

Svénia haussa les épaules.

— Un peu d'escalade nous réchauffera, marmonna-t-elle.

Les deux femmes emboîtèrent le pas aux guerriers. La voie n'était pas facile à suivre, et c'est à bout de souffle qu'elles parvinrent au sommet. Rök ne leur avait aucunement prêté attention. Il semblait plongé dans un état étrange : les yeux étrécis, les mains parcourues de spasmes qui lui faisaient étreindre le manche de sa hache comme s'il voulait le briser. Ses hommes l'épiaient du coin de l'œil sans dissimuler leur inquiétude.

— Le *berserkr* est en train de se réveiller, haleta Svénia. C'est le mécontentement qui l'a mis dans cette disposition. S'il ne trouve aucun ennemi à tuer, il se retournera contre nous.

Rök fit quelques pas, scrutant le sol. Le vent n'avait pas tout effacé. Dans les replis du terrain abrités des rafales, on distinguait des traces de pas de tailles diverses, grandes ou petites... Plusieurs hommes s'étaient tenus là, embusqués derrière les congères.

« Ils continuent à nous suivre, songea Marion. Ils attendent le moment de passer à l'action. »

Elle essaya de lire les empreintes. Aux rayures des brodequins, elle estima qu'au moins cinq guerriers avaient campé ici.

« S'ils sont aussi habiles que les Anglois — qui sont capables de tirer une flèche mortelle toutes les dix secondes, pensa-t-elle, ils n'auront aucun mal à décimer le clan dès que l'envie leur en viendra. »

Poussant des grognements, Rök explora la crête sans parvenir à localiser l'ennemi.

« De toute manière, avec cette neige, se dit la jeune femme, nos suiveurs ont beau jeu de se cacher. »

Le froid était insupportable, il fallut se résoudre à descendre avant de geler vif. Les guerriers prenaient grand soin de ne rien toucher qui fût en acier sous peine de se retrouver la peau collée aux lames des épées.

Une fois en bas, Svénia s'empressa de réchauffer la soupe. Marion comprenait pourquoi la servante lui ordonnait d'enfiler des gants de fourrure avant de glisser les mains dans les moufles de fer.

L'attente reprit.

Vers midi, Boulba sortit de sa tente, poussant devant elle la fillette mordue par la vipère sacrée. L'enfant avait les yeux hagards et tremblait de tous ses membres, en proie à la fièvre de l'empoisonnement. Le vent glacé gela la sueur sur son visage. Lorsque sa mère lâcha son épaule, la gamine se mit à tituber. Ensuite, elle zigzagua sur la glace d'un pas mal assuré, sans paraître savoir où elle allait. Une extrême tension s'était emparée du clan. Rök suivait les mouvements de la gamine avec une impatience non dissimulée.

La fillette finit par s'écrouler. Aussitôt, les hommes se précipitèrent, la hache à la main, pour dégager l'entrée du tunnel d'accès. Hélas, leurs efforts furent vains. L'escalier menant à la cité souterraine ne se trouvait pas là... La glace était pleine. L'évanouissement de l'enfant était dépourvu de la moindre signification magique.

Rök entra dans une grande colère. Se penchant sur la petite fille qui grelottait, il la gifla pour la réveiller, puis ordonna à Boulba de la ramener dans la tente pour la faire mordre une seconde fois. La gosse avait échoué, prétendait-il, parce que la dose de venin courant dans ses veines n'était pas assez forte. Boulba s'inclina en bredouillant des excuses. Elle allait remédier à tout cela, affirmait-elle. Mais la faute en revenait moins à sa fille qu'aux vipères sacrées, trop sollicitées ces derniers temps, et dont les glandes à venin s'étaient vidées. Rök leva le poing comme s'il allait lui briser la tête. Boulba se dépêcha de regagner sa tente en traînant la fillette dolente à sa suite.

Marion savait qu'il ne servirait à rien d'intervenir. Rök se trouvait dans un tel état nerveux qu'il n'écouterait personne.

Des pleurs et des cris de protestations fusèrent de l'abri. Un gémissement de douleur ponctua ces velléités de rébellion. L'ymagière se mordit la lèvre. La cruauté de ces gens lui était de plus en plus insupportable. La fillette reparut, le visage barbouillé de larmes, les vêtements en désordre. La fièvre lui rendait les joues cramoisies et les yeux vitreux. Des spasmes secouaient ses mains.

Sa mère l'admonesta avant de lui expédier une poussée entre les omoplates pour lui intimer d'avancer.

Svénia étouffa un ricanement amer.

— Personne ne peut concurrencer Wanaa, souffla-t-elle. Personne ne lui arrivera jamais à la cheville. Elle aurait trouvé l'entrée de la cité dès la première morsure, *elle*. Cette gosse n'est bonne à rien. Sa mère va la faire crever sans nous fournir le moindre renseignement utilisable.

Cette fois, l'enfant chemina longuement sur le glacier. Trois fois, elle fut sur le point de perdre connaissance et Marion se retint de courir vers elle pour la soutenir. Chaque fois, Svénia, devinant son intention, la saisit par le bras en murmurant : « Ne bouge pas. Rök est dans un tel état qu'il te tuerait avant que tu aies pu faire dix enjambées. »

Enfin, après avoir zigzagué sur la glace, la fillette s'écroula pour ne plus se relever. Les guerriers s'élancèrent, repoussant la gamine pour creuser à l'endroit même où elle était tombée. Les haches s'abattirent en cadence. Au bruit qu'elles faisaient, on aurait pu croire que les Vikings cassaient du verre.

Enfin, un cri de triomphe monta à travers les rafales de flocons. L'entrée du souterrain se trouvait bien là ! Rök reprit soudain visage humain. Avec une maladresse de bambin qui fait ses premiers pas, il tituba en direction de l'orifice mis à jour par les guerriers. On eût dit qu'il allait fondre en larmes. C'était curieux, et gênant chez un homme de cette taille, au profil si rude. Marion se dépêcha de baisser les yeux avant que le chef viking ne la surprenne en train de l'observer.

Le trou ouvert dans le sol laissait deviner un boyau creusé dans la glace. Une galerie au plafond hérissé de stalactites. Cette vision n'avait rien d'engageant mais les membres du clan semblaient heureux de réintégrer ce terrier. Marion, elle, se sentait oppressée à l'idée de descendre vivre au cœur du glacier, au sein de ce fleuve gelé qui ne cessait de craquer en labourant les flancs de la montagne. Elle avait l'impression que les parois du tunnel allaient se refermer sur elle pour la broyer.

Une fois les manifestations de réjouissance calmées, on s'aperçut que la fillette soumise au venin des vipères sacrées était morte. Boulba l'emporta dans ses bras, le visage fermé, sans qu'on pût déterminer ce qu'elle éprouvait. Rök lui assura que l'enfant bénéficierait de funérailles somptueuses et trônerait à la bonne place « parmi-ceux-qui-sont-toujours-avec-nous ».

Marion jugea cet éloge funèbre plutôt sommaire, mais personne ne lui demanda son avis.

L'entrée dégagée, on alluma une lampe à huile car il était hors de question d'utiliser des torches qui auraient consumé tout l'air contenu dans la galerie. Brandissant ce lumignon au-dessus de sa tête, Rök descendit solennellement les marches taillées à coups de pic. La gorge serrée par l'appréhension, Marion le suivit, Svénia sur les talons. La lumière du photophore allumait des éclats mouillés sur les stalactites de la voûte. Le boyau de glace s'étirait bizarrement. À certains endroits, des étranglements s'étaient formés, obturant presque le passage.

— Le glacier n'est jamais immobile, commenta la servante. Il cicatrise. Si nous restions absents plus d'une année, les tunnels se refermeraient. Il va falloir agrandir tout cela, regagner le terrain perdu.

Marion songea aux paysans de son pays. Ils avaient coutume de dire que la forêt récupérait ce qu'on lui avait volé dès qu'on cessait de la surveiller. Il en allait de même ici, au cœur des solitudes glacées de l'éternel hiver. Tout se passait comme si la nature refusait la présence de l'homme, où qu'il s'avisât de poser le pied.

Rök pressa l'allure. Des gouttes pleuvaient sur la tête de Marion. La lumière du jour filtrait à travers le plafond translucide. Elle estima l'épaisseur de la voûte à douze coudées. L'air sentait l'eau croupie, la caverne humide. La luminosité, même faible, avait favorisé la pousse des lichens sur les parois du couloir.

« C'est un igloo, se dit-elle pour tenter de se rassurer. Un igloo gigantesque pourvu d'innombrables dépendances. Au moins, tu y seras à l'abri de la morsure du vent. »

Malgré tout, elle aurait mille fois préféré trouver refuge dans une caverne, à flanc de montagne. Cette taupinière l'oppressait.

Elle s'y sentait emmurée vive.

La galerie s'élargit soudain, puis se ramifia. C'était comme une exploitation minière... sans minerai! Au fur et à mesure qu'elle avançait, Marion devinait des chambres, des salles. Certains murs s'ornaient de sculptures, d'inscriptions runiques. Parfois, les stalactites étaient si longues qu'il fallait les briser à la hache pour ouvrir un passage. Depuis qu'il était descendu dans le refuge souterrain, Rök semblait plus calme. Il monologuait en marchant.

— Que dit-il? s'enquit l'ymagière.

— Ce n'est rien, éluda la servante. Ne t'en fais pas. Il salue les esprits des morts qui habitent en ces lieux.

CHAPITRE DIX-SEPT

Au cours des heures qui suivirent, Marion alla de surprise en surprise. Bjorn tint à lui montrer les parties de cité souterraine qu'il avait sculptées à l'époque de sa splendeur. Le temps et la prolifération des stalactites avaient abîmé son travail, mais il en subsistait d'étonnants vestiges qui permettaient à la jeune femme de mesurer l'étendue de son talent. Bjorn avait été un grand sculpteur, cela ne faisait aucun doute. Toutefois, elle eut un mouvement de recul quand elle aperçut des silhouettes humaines prises dans la glace... Les cadavres se tenaient debout, de part et d'autre du couloir. Ils avaient l'air de dévisager de leurs yeux morts ceux qui s'y promenaient.

— C'est... c'est un cimetière ? balbutia-t-elle en se tournant vers Svénia.

— Oui, dit la servante. Rök n'abandonne jamais personne sur un champ de bataille. Tous ceux qui meurent les armes à la main, dans l'honneur, sont ramenés ici. C'est la tradition du clan.

— Je croyais que les Vikings incinéraient leurs défunts, souffla Marion.

— Les autres clans, oui, admit Svénia. Du moins

la plupart d'entre eux. Nous, nous procédons autrement.

— Vous les emmurez...

— Oui, on creuse une niche verticale. On y place le corps debout puis l'on tasse de la glace pilée dessus. Le froid fait le reste. La muraille se referme sur lui. Toute la tribu est là ou presque. Les années ont passé mais ils sont toujours comme à l'heure de leur mort. Ils nous regardent, ils nous surveillent. Ils nous jugent.

— Ce sont eux dont Rök parlait lorsque la petite fille a été victime du venin?

— Oui. La gamine prendra place au milieu de nos pères. C'est un grand honneur. Généralement, on ne conserve que les guerriers, les chefs. Les magiciennes quand elles se sont illustrées par leurs prodiges, mais c'est rare. Les femmes ordinaires n'y sont pas admises. Comme tu peux le voir, il n'y a ici que des hommes.

Marion réprima un mouvement de panique. Pour un peu, elle aurait rebroussé chemin et regagné la surface. Cette armée d'outre-tombe qui la regardait fixement à travers la muraille de glace lui donnait envie de hurler.

— Rök dit que les défunts nous empêchent de mal nous conduire, expliqua Svénia. Ils nous épient et nous contrôlent en permanence. Dans la cité souterraine, il est impossible d'échapper à leur regard puisqu'ils sont partout. Ils sont les garants de la morale. Si nous nous écartions du droit chemin, ils sortiraient de la paroi pour nous punir... oui, c'est ce que dit Rök.

— C'est lui qui a créé ce cimetière? demanda Marion dont la voix avait perdu toute assurance.

La servante haussa les épaules.

— Non, avoua-t-elle. Il existait avant même que

156

Ragnaar ne commande le clan. À l'époque, il était situé très haut sur le glacier, presque au sommet de la montagne. Maintenant il est à mi-course... Les années ont passé, beaucoup d'années. Il se rapproche sans cesse de la frontière où la glace commence à fondre pour se changer en fleuve. Au début, c'était juste une nécropole, mais Rök a eu l'idée de l'agrandir et d'y habiter.

Marion estima qu'il fallait être fou pour concevoir une pareille chose.

« Mon Dieu! songea-t-elle, et dire que je vais devoir vivre ainsi, dans ce cimetière transparent, environnée de cadavres dont les yeux seront braqués sur moi quoi que je fasse. »

— Ce sont les juges du clan, ânonnait Svénia. Si l'on se conduit mal en leur présence, on le paye toujours, d'une manière ou d'une autre.

— Ça va, soupira Marion. J'ai compris. Montre-moi plutôt où nous allons nous installer.

Plus tard, l'ymagière assista à l'arrivée des nouveaux cadavres. Rök les avait ramenés sur les traîneaux. Il s'agissait des guerriers morts lors du sac de l'abbaye. On les avait conservés dans le sel, puis dans la glace une fois qu'on avait touché terre. Dès demain ils prendraient place dans la muraille, pour monter la garde aux côtés de leurs prédécesseurs.

CHAPITRE DIX-HUIT

Marion découvrit bientôt qu'à l'intérieur de la cité souterraine, il était formellement interdit de dresser des tentes.

— Le regard des ancêtres doit pouvoir se poser sur nous à tout moment, radotait la servante, toujours prompte à seriner le catéchisme du clan. Si quelqu'un essayait de se dérober à leur surveillance, les morts sortiraient aussitôt de la glace pour le châtier. L'as-tu déjà oublié ?

Pour un peu, elle aurait forcé Marion à réciter ce précepte, comme une enfant à qui l'on essaye d'inculquer des prières fondamentales.

Croyait-elle à cette fable ? L'ymagière ne parvenait pas à le déterminer. D'ailleurs, elle était elle-même fâcheusement impressionnée par cette menace potentielle qui la faisait tressaillir chaque fois que la paroi translucide émettait un craquement ou qu'une goutte se détachait d'une stalactite pour s'écraser sur son front.

Les familles ne souffraient d'aucune promiscuité puisque la taupinière était extensible à volonté. Il suffisait pour cela de saisir ses outils et de creuser. De cette manière, on se ménageait de nouveaux appartements sans empiéter sur le territoire des voisins.

— Il faut tout de même faire attention, expliqua Svénia en dressant le bivouac dans la chambre qui leur avait été dévolue. Le glacier recèle des poches d'eau, parfois importantes. Si on les crève, on se retrouve noyé par le flot. La glace n'est pas compacte. Ne t'y trompe pas, ce n'est point du granit.

La chaleur des respirations réchauffait la voûte, la faisant briller d'une suée blanche. Marion détestait cette atmosphère d'humidité, ces clapotis incessants. Elle avait l'impression de camper sous la pluie. Pire que tout : elle manquait d'air.

— C'est une idée que tu te fais, éluda Svénia avec un haussement d'épaules. Il y a plusieurs conduits d'aération communiquant avec la surface, et personne n'est jamais mort étouffé. Tu t'y habitueras.

Les totems de glace entretenus par l'ymagière avaient été déposés en grande pompe dans la salle principale, au carrefour des galeries. Étant donné la température qui régnait au cœur des cavernes, on n'avait plus à craindre de les voir fondre. Dans le pire des cas, elles « transpireraient » sous l'effet de la condensation, mais jamais elles ne se changeraient en flaque. C'était au moins un souci qui disparaissait.

Pour fêter le retour du clan dans la ville souterraine, Rök ordonna une distribution de bière et d'eau-de-vie. Bientôt, les galeries résonnèrent de l'écho des chants et du rire des ivrognes. Marion demeura à l'écart, impressionnée par ces réjouissances qui se déroulaient sous le regard des ancêtres emmurés. On leur dédiait d'ailleurs la plupart des libations, et certains allaient même jusqu'à choquer leur coupe contre la muraille gelée en interpellant les défunts par leurs surnoms : Harald le Loup, Oksvar à la Tête fendue...

Bjorn et Svénia étaient restés près de l'ymagière, en retrait. Toutefois, l'ancien sculpteur aux doigts coupés n'avait pas refusé les cornes d'hydromel tendues par les jeunes filles qui assuraient le service au long des galeries. L'ivresse le gagnait. Il s'était mis à soliloquer en s'adressant à Marion. La jeune femme possédait désormais assez de vocabulaire pour identifier les mots : *mauvaise... méchante... folle... dangereuse...* Ces diverses épithètes semblaient toutes accolées au nom de Wanaa. Intriguée, elle ordonna à Svénia de traduire les propos du vieillard. La servante se fit tirer l'oreille.

— Il est saoul, grogna-t-elle. Il raconte n'importe quoi. Il ne faut pas parler de ces choses. Il ferait mieux de se rouler dans sa couverture et de dormir. Si quelqu'un l'entendait, cela pourrait nous valoir des ennuis.

— Traduis, répéta Marion. Je veux savoir.

— Il dit que Wanaa n'était pas ce qu'on prétend, fit la vieille dans un murmure apeuré. Il l'a bien connue. Ils avaient le même âge. Il a joué avec elle, enfant. Il dit qu'elle était très belle mais folle. Le venin des serpents avait fini par lui détraquer l'esprit. Elle ne voyait pas le futur, *elle inventait...* elle prenait ses cauchemars pour la réalité. Elle faisait tuer des innocents, elle provoquait des catastrophes inutiles, des guerres sans fondement.

Svénia s'interrompit, le visage contracté par la peur. Marion lui fit signe de continuer.

— Elle tenait le monde sous son emprise, reprit la servante. Sa beauté était effrayante... inhumaine.

Tous les hommes en étaient frappés. Elle les dominait. Ragnaar était un jouet entre ses mains, une marionnette. Elle lui faisait faire ce qu'elle voulait. Au début, elle avait réellement des rêves prémonitoires... Et puis le venin lui est monté au cerveau, elle vivait dans un état d'hallucination permanente. Le poison des vipères la mangeait. Elle a commencé à annoncer des choses absurdes... que tel ou tel clan se préparait à nous attaquer, que tel guerrier fomentait un complot contre Ragnaar... Plus personne ne s'avisait de contester ses déclarations. On considérait que les dieux s'exprimaient par sa bouche, et l'on agissait en conséquence. Ragnaar l'idolâtrait, il avait perdu tout esprit critique. Si elle lui conseillait d'exterminer un clan voisin, il s'exécutait, préventivement. C'est de cette manière que nous nous sommes fait haïr de tout le monde. C'est pour ça qu'aujourd'hui nous avons tant d'ennemis et qu'on s'acharne contre nous.

La tristesse imprégnait chaque mot tombant des lèvres de Bjorn. Une tristesse infinie, mêlée d'amertume.

— Est-ce vrai ? lança Marion à la servante.

Svénia se dandina, en proie à la gêne.

— Ce n'est pas faux, se décida-t-elle à chuchoter. Mais il est de parti pris... Il ne te dit pas qu'il était amoureux de Wanaa et qu'elle lui a préféré Ragnaar. Ses propos sont pleins de fiel. Mais il est vrai qu'à la fin, elle vivait dans un délire ininterrompu. Le venin lui avait tourné le sang. Une fois, je suis entrée dans sa tente. Elle dormait nue dans ses fourrures et les serpents lui couraient sur le corps, en liberté. Je les ai vus, lovés sur ses seins, se coulant entre ses cuisses. J'ai eu si peur d'être mordue que je me suis enfuie. Cela c'est vrai... j'étais toute jeune alors, je venais d'être capturée. C'était une femme trop belle pour être réellement humaine. On avait l'impression que les dieux se servaient de ses yeux pour espionner les hommes.

Elle frissonna. Bjorn avait repris son monologue.

— Il dit qu'elle est à l'origine de la déchéance du clan, murmura Svénia. Elle avait envoûté tous les guerriers. Ragnaar n'était pas le vrai chef... En réalité, c'était elle qui commandait. Elle érigeait ses caprices en prophéties. Si quelqu'un lui déplaisait, elle se vengeait en l'accusant de comploter, et personne ne s'avisait de la contredire. Elle a fait régner la terreur sur la tribu. Il faut dire les choses comme elles sont : beaucoup ont été soulagés lorsqu'elle est morte, écrasée par cette avalanche. Les femmes surtout. Elles savaient que, désormais, leurs hommes cesseraient de penser à Wanaa en les baisant.

— Et Rök ? interrogea Marion. A-t-il eu conscience de la folie de sa mère ?

— Non, il était trop jeune. Quel âge avait-il alors ? Cinq ans ? Je ne sais plus. Sa mémoire doit être pleine d'images formidables mais fausses. Comme tous les mâles, il a dû la trouver magnifique et terrible. Du moins je le suppose.

— Et il pense qu'en vivant sous la glace, il se rapproche d'elle ?

— Sûrement. C'est sa magie à lui. Tu verras. C'est un homme secret et difficile. La folie de sa mère est passée en lui. C'est pour cette raison qu'il est un *berserkr*... Le venin des serpents l'a contaminé. Quand elle était enceinte, Wanaa continuait à se faire mordre. Il ne faut pas chercher plus loin.

Les échos de la fête s'éteignant, les deux femmes se turent de peur que leurs chuchotements, amplifiés par la voûte, ne finissent dans quelque oreille ennemie. Officiellement, Svénia était la seule à comprendre le français mais Marion préférait se montrer prudente.

On s'allongea sur les paillasses de lichen séché. De temps à autre, des gouttes s'écrasaient sur les couvertures de peau. On avait éteint les lampes, seul un lumignon brillait au carrefour des galeries, là où se dressaient les statues des dieux du froid, diffusant sa lueur à travers les parois translucides.

Marion mit longtemps à trouver le sommeil. En écoutant craquer la glace, elle imaginait que les morts sortaient du mur pour la châtier des propos malveillants qu'elle avait échangés avec Svénia.

CHAPITRE DIX-NEUF

Le lendemain, Knut vint lui rendre visite. Le jeune homme aux yeux pâles lui apportait une lampe à huile en cadeau de bienvenue. Le photophore en cuivre repoussé représentait un dragon aux ailes déployées. Le cœur de Marion s'emballa à la vue du guerrier et elle s'en irrita. Knut tint à remonter la galerie des morts en sa compagnie. De temps à autre, il s'arrêtait pour désigner un cadavre pris dans la glace. Il prononçait alors son nom et précisait le degré de parenté qu'il entretenait avec lui. À l'angle d'un couloir, il s'inclina devant la dépouille d'un jeune homme aux cheveux pâles, statufié dans la muraille, la hache à la main, comme s'il n'attendait qu'un signal pour monter à l'attaque.

— C'est Ulmar, son père, précisa Svénia.

La promenade achevée, il s'éloigna précipitamment après avoir chuchoté quelque chose, d'un air inquiet.

— Qu'a-t-il dit ? s'enquit l'ymagière.

— Que tu dois faire attention, répondit Svénia. Il y a ici des gens qui te jalousent et s'apprêtent à te faire du mal.

— Qui ?

— Il ne l'a pas précisé, mais je pense que Boulba

ne t'aime pas. Tu l'as éclipsée. C'est pour reprendre l'avantage qu'elle a sacrifié sa fille aînée. Elle n'hésitera pas une seconde à te porter préjudice si tu lui en offres l'occasion. Sois prudente.

Un peu plus tard, Marion aperçut Ragnaar, le chef déchu, trop vieux, trop chanceux, l'éternel survivant...

Il se tenait recroquevillé dans une niche ridiculement étroite. Son état de faiblesse chronique l'empêchait d'agrandir ce trou hérissé de stalactites, et il faisait peine à voir, ainsi plié en deux, telle une momie dans un sanctuaire troglodyte.

Marion ordonna à Svénia de lui libérer les mains afin qu'elle puisse prendre ses outils et aménager la tanière du vieillard.

— Non ! hoqueta la servante gagnée par la panique. Tu ne dois pas faire ça. Je te l'ai déjà dit cent fois : c'est un fantôme... Si tu t'occupes de lui, Rök le prendra mal.

La terreur la faisait radoter. L'ymagière insista tant que l'esclave se résigna à obéir. Les mains libérées des moufles de fer, la jeune femme se rendit auprès de Ragnaar et s'appliqua à sectionner les stalactites à coups de ciseau. Elle aplanit ainsi le sol et le plafond de la niche, la rendant plus habitable. Le vieux avait tourné la tête pour ne pas la voir. Il ne prononça pas un mot pendant tout le temps que Marion mit à niveler les parois de l'abri. Quand elle rangea ses outils, il demeura inerte, muet. Elle se demanda s'il lui était reconnaissant, s'il s'en fichait... ou s'il la haïssait de lui faire sentir à quel point il était sans défense.

Elle s'éloigna sans chercher à établir le contact de peur de l'indisposer davantage.

Elle commençait à s'habituer à la présence des

cadavres figés dans les parois. Leur extrême jeunesse avait quelque chose d'effrayant. Certains de ces garçons avaient seize ans. D'autres sortaient à peine de l'enfance quand la mort les avait frappés. Si leur peau avait pris une teinte livide, ils n'en demeuraient pas moins intacts, préservés des atteintes du temps. Tous avaient été emmurés les armes à la main, et, curieusement, l'acier des haches ou des épées s'était moins bien conservé que cette chair morte, cette chair d'ordinaire si périssable.

— Knut est en disgrâce, déclara Svénia un matin. Rök est persuadé que tu lui as ouvert ton lit. Je crois qu'il est jaloux. J'ai l'impression qu'il comptait bien se réserver le privilège de satisfaire tes appétits. Après tout, Ragnaar, son père, partageait bien la couche d'une sorcière.

Marion éprouva une brusque bouffée d'inquiétude. Elle ne voulait pas qu'il arrivât malheur à Knut. Elle avait peur de Rök qu'elle devinait en proie à de secrets tourments. Elle se demanda comment arranger les choses, sans trouver aucune solution.

— Knut est-il en danger? interrogea-t-elle en essayant de ne pas laisser transparaître ses angoisses.

Svénia fit la moue.

— C'est possible. Rök a décidé de l'éloigner de toi en l'expédiant à l'extérieur avec un groupe de guerriers. Ils auront pour mission de traquer nos ennemis dans la montagne. Mais il est également possible qu'il ait ordonné aux hommes d'assassiner Knut pendant son sommeil... ou de le jeter dans une crevasse. Les Vikings sont vindicatifs. Avec eux, on peut tout craindre.

Rök finit par la convoquer. Nerveux, il s'exprimait en ponctuant ses phrases de gestes inutiles. Son regard paraissait incapable de se fixer. À la manière dont Svénia se faisait toute petite dans son coin, Marion comprit que l'heure était grave. Les « appartements » de Rök avaient l'apparence d'une caverne de glace décorée de runes sculptées dans la masse. Elle était ronde et les héros morts de la tribu se dressaient sur tout le périmètre, emmurés dans la paroi vitreuse. On eût dit qu'on les avait réunis là pour tenir conseil... mais sans doute était-ce ce qu'avait souhaité Rök ?

« Il doit leur parler, songea Marion. Probablement scrute-t-il leur visage pour tenter d'y déchiffrer les réponses aux questions qu'il leur pose. »

— Il veut que tu te lances à la recherche du corps de sa mère, traduisit la servante d'une voix pleine de réticence.

— Quoi ? balbutia l'ymagière.

— Il dit que tu dois creuser le glacier pour localiser la caverne où Wanaa avait l'habitude de se retirer pour méditer et lire l'avenir. Elle est quelque part dans cette direction. (Elle fit un geste vague du bras, et à cette occasion, Marion remarqua que sa main tremblait.) Tu devras dégager le corps et le ramener ici, pour qu'il puisse prendre place dans la muraille, à côté des anciens héros du clan. Rök ne supporte plus son absence. Il veut la voir là, derrière cette paroi. Il veut pouvoir lui demander conseil tous les jours. Il sait qu'elle l'inspirera, qu'elle lui dictera ce qu'il convient de faire...

Svénia s'interrompit pour reprendre son souffle. Elle avait la gorge sèche.

— Pourquoi moi ? lança Marion. C'est un travail de titan ! Il n'a qu'à demander à ses guerriers d'aller la récupérer.

— Ne sois pas idiote ! ragea Svénia, sortant de sa

réserve. Wanaa est une demi-déesse, aucun homme ordinaire ne peut porter la main sur elle. Il n'y a que toi qui le puisses... Toi, parce que tu es une sorcière, parce que tes doigts savent modeler le visage des dieux. Si quelqu'un d'autre s'avisait de la tirer de son linceul de glace, il serait aussitôt foudroyé et tomberait en cendres.

« Mon Dieu! pensa Marion, suis-je bête? Voilà pourquoi il m'a enlevée... *Voilà l'unique raison!* Les totems de glace n'étaient qu'un prétexte. Il voulait m'amener ici pour que je déterre le cadavre de sa mère. C'est tout! Il a menti depuis le début. Il a manipulé le clan. »

Elle enrageait d'avoir été trompée... mais elle avait peur également, peur de cet homme mené par une idée fixe. Cet homme qui voulait ramener sa mère d'entre les morts.

La main de Svénia se referma sur son bras, lui serrant le biceps jusqu'à la douleur.

— Tu n'as pas la possibilité de refuser, scanda la servante. Tu as compris, n'est-ce pas? C'est tout ce qui compte à ses yeux. Si tu dis non, tu ne lui sers plus à rien... et il n'a aucune raison de te laisser en vie.

— Je sais, fit l'ymagière en se dégageant.

Les yeux de Rök cherchaient les siens avec une intensité fiévreuse. Marion se sentit brûlée par ce regard qui prenait possession d'elle. Elle songea que Gilles de Rais, le terrible Barbe-Bleue, avait dû dévisager ses victimes de cette manière.

— D'accord, haleta-t-elle. Je suppose que je n'ai pas le choix.

— Non, confirma Svénia. Rök attend que tu localises l'endroit où sa mère se trouve ensevelie. Il pense que ton instinct de sorcière te montrera le chemin... Pour ce qui est de creuser, tu auras la possibilité de te faire aider par les guerriers. Toutefois ils s'arrêteront quand l'ombre de Wanaa deviendra visible à travers la glace, ce sera alors à toi de dégager les derniers mètres.

Marion réfléchissait. Le glacier était immense. Comment savoir quelle direction prendre ? Si elle s'en remettait au hasard, plusieurs mois s'écouleraient avant qu'elle ne tombe sur ce qu'elle cherchait...

« Rök ne me laissera pas le loisir de procéder à un quadrillage, songea-t-elle. Je n'aurai droit qu'à deux essais, guère davantage. En outre la glace est vitreuse, opaque... Il se peut que je passe à trois coudées du corps sans même m'en rendre compte. »

Elle eut peur que Rök ne lise le désarroi sur son visage, et détourna les yeux. La largeur du glacier l'épouvantait. Ses chances de tomber du premier coup sur la caverne funéraire étaient dérisoires. Elle se promit d'interroger Bjorn... et peut-être même d'obtenir la collaboration de Ragnaar. En rassemblant leurs souvenirs, elle parviendrait sûrement à situer le lieu de l'avalanche meurtrière.

— D'accord, soupira-t-elle. Dis-lui que je vais m'en occuper. J'ai toutefois besoin d'un peu de temps pour... rassembler mes pouvoirs magiques.

Svénia s'empressa de traduire. Le soulagement de Rök fut visible.

— Il dit que tu pourras prendre six guerriers parmi les plus forts pour creuser, annonça la servante. Ils t'obéiront, tu ne devras pas avoir peur de les fatiguer.

« Ce n'est pas de cela que j'ai peur... », songea Marion avec l'impression que les mâchoires du piège lui entraient dans la chair.

La joie de Rök était pathétique. Avec un empressement naïf, il tint à montrer à Marion l'endroit où

Wanaa serait emmurée. Une niche avait été creusée dans la muraille. Elle avait la forme d'un trône. Wanaa y serait assise ; on la recouvrirait ensuite de glace pilée, le froid se chargerait de solidifier cette couche crissante. Avec le temps, la paroi se reconstituerait, tel un sarcophage de cristal, et Rök pourrait se prosterner devant sa mère chaque fois qu'il en aurait envie.

— Il dit qu'avec elle, le clan retrouvera le chemin de l'honneur, commenta Svénia. En ce moment, elle est seule, trop loin pour que nous puissions bénéficier de son pouvoir. Elle est comme endormie. Une fois revenue parmi les siens, sa magie se réveillera.

Il n'y avait pas à discuter. Marion et Svénia se retirèrent afin de s'atteler à la tâche. L'ymagière luttait pour ne pas laisser la panique la déborder. Le temps lui faisant défaut, elle exigea de remonter à la surface en compagnie de Bjorn et de sa servante. Trois guerriers les accompagnèrent, équipés de boucliers au cas où les ennemis postés sur les hauteurs tenteraient de les cribler de flèches. Marion ne put s'empêcher de scruter les crêtes avec l'espoir d'y reconnaître la silhouette de Knut. Elle se sentait vulnérable, la présence du jeune Viking à ses côtés l'aurait rassurée. Si elle échouait, Rök ne l'épargnerait pas. Il n'avait guère de patience, et dans l'état d'exaltation où il se trouvait, elle doutait qu'il lui accordât le temps de tâtonner. Elle ne pouvait guère compter que sur Knut pour la protéger des extravagances du chef de clan, mais le jeune homme aux nattes pâles était-il encore en vie ?

S'emmitouflant dans ses fourrures, elle avança face à la bourrasque qui lui remplissait la bouche de flocons. Par l'entremise de Svénia, elle sollicita la mémoire de Bjorn, essayant de situer le lieu initial de l'avalanche compte tenu de la dérive du glacier.

— Ça remonte à trente ans, ou presque ! pleurnichait l'ancien sculpteur. Je ne sais plus...

Marion allait d'un tumulus à l'autre, examinant les cairns de glace entassés à la surface du fleuve gelé. Hélas, les avalanches s'étaient succédé au fil des années, et il était impossible de savoir quel monticule était le bon. Celui-là ? Celui-ci ?

Elle s'agenouilla pour gratter le sol, dans l'intention d'y repérer une ombre noyée au sein de la transparence.

— C'est inutile, intervint la servante. La glace est opaque. Il te faut choisir entre l'un de ces trois tumulus. Chacun d'eux signale qu'une avalanche s'est écrasée là. Mais ils sont assez éloignés de la cité ; il va falloir beaucoup creuser pour les atteindre.

— On pourrait travailler ici, suggéra Marion, de cette manière on serait à la verticale de la tombe. Ce serait plus rapide.

— Non, fit Svénia. Rök ne voudra jamais. C'est trop exposé. Au vent d'abord, puis aux flèches des guerriers postés sur les crêtes. Ils auraient beau jeu de tuer tes terrassiers les uns après les autres... Et puis Rök désire que l'entreprise demeure secrète. Il a trop peur que nos ennemis ne se mettent en tête de dérober la dépouille de sa mère. Non, il te faudra passer par en dessous, creuser un tunnel comme si tu cherchais du charbon au cœur de la terre.

— C'est absurde ! grogna Marion. Cela prendra dix fois plus de temps.

— Je sais, mais c'est ainsi que tu feras, martela Svénia.

Ravalant son irritation, l'ymagière s'appliqua à dresser un plan des lieux et à prendre des repères tout en sachant qu'une fois redescendue dans la cité souterraine, ces mesures lui seraient de peu d'utilité.

Jusqu'à présent, elle avait réussi à donner le

change, elle doutait d'y parvenir encore longtemps. Elle ne disposait d'aucun pouvoir magique pour deviner dans quelle direction creuser. Si elle échouait, il deviendrait évident qu'elle avait usurpé sa réputation de sorcière française.

Le froid la transperçait, ses os devenaient douloureux. Il lui semblait que ses articulations se changeaient en pièces métalliques.

— Rentrons, capitula-t-elle. J'ai assez de renseignements pour commencer.

— Ne mens pas, souffla Svénia en s'accrochant à son bras. Tu n'as rien du tout! Je le sais bien. Tu n'es pas plus magicienne que moi! Je joue la comédie depuis le début, pour les autres... et pour moi, mais tu ne feras plus illusion bien longtemps. Ta chance va tourner.

— Si j'échoue, tu mourras aussi, rétorqua Marion. Ne l'oublie pas. Si tu veux survivre, tu as intérêt à me servir sans rechigner. Nous sommes liées.

La vieille baissa le nez.

Courbées sous les rafales, elles regagnèrent l'entrée du souterrain, suivies par les guerriers qui continuaient à surveiller les hauteurs.

Une fois en bas, Marion se mit à l'œuvre et grava dans la glace, du bout de sa moufle de fer, un plan approximatif du glacier où elle figura au moyen de croix l'implantation des tumulus.

Pour ne rien négliger, elle voulut tenter sa chance auprès de Ragnaar. Accompagnée de Svénia, elle s'en alla rendre visite à l'ancien chef dans sa niche. Il ne répondit à aucune question et ignora la présence des deux femmes penchées sur lui. Recroquevillé dans ses oripeaux, il paraissait attendre que la muraille se referme, le retranchant à jamais du monde des vivants.

Marion renonça.

— C'était perdu d'avance, grommela Svénia. Il n'aidera personne, pas plus toi que son fils.

— J'avais pensé qu'il serait peut-être heureux de voir la dépouille de sa femme installée dans le panthéon de la tribu, soupira l'ymagière. Mais il ne tient sans doute pas à affronter une telle épreuve. Revoir un visage tant aimé, intact, après toutes ces années... C'est courir le risque de réveiller une douleur endormie. À sa place, j'hésiterais aussi.

Comme elles s'engageaient dans le corridor principal, elles surprirent Boulba en compagnie de ses deux filles. La sorcière au ventre protubérant contemplait le corps de son aînée, maintenant enseveli dans la paroi de glace, aux côtés des héros du clan. Son sacrifice lui avait valu cet honneur et Boulba semblait s'en rengorger. Les mains posées sur les épaules des deux petites filles, elle les forçait à se recueillir devant le cadavre de leur sœur.

Marion et Svénia firent un pas en arrière, d'un même mouvement, et cherchèrent à se dissimuler dans une niche encore inoccupée.

— Que dit-elle ? questionna l'ymagière.

— Elle donne l'aînée en exemple aux cadettes, chuchota la vieille. Elle leur explique que c'est le suprême honneur pour une fille d'être admise dans le cercle des guerriers morts. Elle leur dit qu'elles devront faire des efforts et lui obéir scrupuleusement si elles veulent obtenir la même récompense.

« Elle n'hésitera pas une seconde à les sacrifier si le besoin s'en fait sentir », songea Marion avec dégoût.

Devinant une présence, Boulba tourna la tête. Quand elle reconnut Marion, ses paupières s'étrécirent sous l'effet de la haine. Les deux fillettes avaient accompagné son mouvement. La même hargne à l'égard de la « sorcière française » déformait leur physionomie. La jeune femme en eut le souffle coupé et faillit prendre la fuite. Jamais elle n'avait lu avec autant d'évidence la jalousie et le désir de meurtre dans les yeux de quelqu'un.

Entraînant ses enfants, Boulba pivota sur elle-même et disparut dans une galerie latérale.

— C'était une déclaration de guerre, murmura Svénia. Elle t'en veut à mort d'avoir été chargée de retrouver la dépouille de Wanaa. Elle estime que cet honneur lui revenait de droit.

— Et elle est prête à sacrifier les deux gosses qui lui restent pour y parvenir, cracha Marion.

— Oui, admit la servante. La durée de la vie n'a pas d'importance pour un Viking, ce qui compte c'est de réussir son trépas. Ces deux gamines se fichent bien de mourir; en fait, elles crèvent à l'idée de ne pas être à la place de leur sœur aînée.

CHAPITRE VINGT

Il fallait prendre une décision. Marion s'en remit
au hasard et choisit d'ouvrir un tunnel en direction
du tumulus de droite, celui qui se trouvait le plus
près de la montagne.

Émoussé, érodé par les rafales, il lui semblait le
plus ancien. Elle ordonna donc aux guerriers de
prendre leurs outils et d'attaquer la glace. Ils lui
obéirent; toutefois elle perçut chez eux une secrète
répulsion. Sans comprendre ce qu'ils disaient, elle
les entendait marmonner. Ces chuchotements ne lui
paraissaient pas de bon augure. Ils avaient peur. Ce
travail de fossoyeurs était indigne d'un guerrier
viking. Et puis, au bout du tunnel, il y aurait le
cadavre de cette puissante sorcière dont les plus
jeunes avaient entendu parler, mais qui était morte
avant leur naissance. Ceux qui étaient en âge d'avoir
connu Wanaa ne se réjouissaient pas davantage de
ces retrouvailles funèbres. Ils se rappelaient combien
la magicienne les avait terrifiés, jadis, lorsqu'ils
étaient gamins. Ils grattaient la glace sans enthou-
siasme et ne déployaient un semblant de vigueur que
lorsque Rök visitait le chantier. Marion les comprenait. Cette exhumation l'inquiétait, elle aussi.
Depuis qu'on avait commencé à creuser la galerie,

Rök se comportait de manière étrange. Il ne dormait plus et passait ses nuits à errer dans les corridors de la cité souterraine. Un feu maladif couvait dans son regard. À deux reprises, Marion s'était réveillée pour le découvrir debout au pied de sa couche. Manifestement, il était là depuis longtemps, à l'épier dans son sommeil. Elle en avait été impressionnée. Il mettait trop d'espoir en elle, elle craignait qu'au bout du compte il ne soit déçu... et que cette déception se change en colère.

Il y avait aussi les enfants de Boulba, la sorcière jalouse, que Marion ne cessait de croiser. Ils étaient là, dans son dos, à l'espionner. Leurs regards lui chatouillaient la nuque tel le dard d'une guêpe. Quand elle se retournait, elle avait juste le temps de voir leurs deux têtes chafouines disparaître à l'angle d'un couloir.

— Elles te détestent, confirma Svénia. Boulba leur a fait la leçon. Elle leur a expliqué qu'à cause de toi, leur mère allait être destituée de ses fonctions, bientôt bannie du clan... et qu'il ne lui resterait plus qu'à mourir de froid dans la montagne. Il ne faut pas prendre ces haines enfantines à la légère, ici nous sommes chez les Vikings.

— Que crains-tu? s'enquit Marion.

— Le poison, chuchota Svénia. Boulba est passée maîtresse dans l'art des substances vénéneuses. Il conviendra désormais de surveiller ce que nous mangeons. Nous utiliserons Bjorn comme goûteur, il faut bien que cette vieille carne gagne le pain que je lui donne, non?

Marion, elle, craignait davantage les enfants de Boulba que l'éventuelle colère de Rök. Il y avait dans les ricanements des petites filles une note menaçante. Elle n'aimait pas leurs coups d'œil effrontés lorsqu'elles se croisaient au hasard d'une galerie. Par-dessus tout, elle détestait les entendre pouffer de rire dans son dos. Depuis que Knut avait été exilé dans la montagne, elle se sentait seule au monde.

Le tunnel progressait. La glace n'offrait pas partout la même compacité. Il arrivait que les guerriers tombent sur des poches d'eau dont la brusque libération les trempait de la tête aux pieds. Le froid les faisait alors suffoquer, et ils devaient courir se réchauffer sous peine de voir leurs vêtements geler, les emprisonnant dans une carapace plus dure que le bois.

Enfin, après bien des journées de labeur, une ombre apparut à travers la paroi...

Il faudrait encore creuser sur une bonne vingtaine de coudées avant de l'atteindre, mais, la glace étant à cet endroit plus cristalline qu'ailleurs, on devinait déjà les contours d'un corps dressé, les bras levés au-dessus de la tête, dans un réflexe de défense... ou de malédiction. Les hommes chuchotèrent de plus belle et travaillèrent avec encore moins de vélocité. Marion elle-même, chaque fois qu'elle s'avançait au seuil de la galerie, ne pouvait retenir un frémissement en découvrant l'ombre prisonnière du linceul d'eau gelée. Lorsqu'en plein midi, le soleil frappait le glacier, la silhouette semblait grandir et devenait encore plus menaçante.

La jeune femme essayait d'imaginer les sentiments de Wanaa au moment de l'avalanche. Qu'avait-elle éprouvé? De la peur... de la colère? De la rage, sûrement. La rage de se découvrir impuissante, prise au piège d'une caverne qui se remplissait de blocs de glace et de neige. La mort l'avait saisie debout, l'enveloppant de sa gangue, ne lui laissant aucun espoir.

La nuit, il arrivait que Marion rêvât de Wanaa, la magicienne. Bjorn était terrifié à l'idée qu'on la libère de sa prison. Il semblait craindre qu'elle revienne à la vie.

— Elle sera jeune, ne cessait-il de répéter, et nous, nous sommes aujourd'hui trop vieux pour nous défendre. Oh! Je me rappelle comme elle était terrible, méchante. Belle, mais méchante. Non, il ne faut pas qu'elle sorte de la glace, il faut la laisser là où elle est.

— Va donc expliquer ça à Rök, ricanait Svénia, tu verras comment tu seras reçu!

Cette atmosphère superstitieuse finissait par gangrener le clan. On chuchotait beaucoup autour des poêles à graisse. Les radotages des vieux avaient réveillé d'anciennes peurs, on ne parlait plus que des caprices sanglants de Wanaa, de sa manie des sacrifices humains.

Dans la galerie, les hommes travaillaient les mâchoires serrées, la mine sombre. Chaque coup de pioche les rapprochait de la magicienne ensevelie debout. Ils appréhendaient le moment où la paroi s'éboulerait, libérant le corps protégé des atteintes du temps. Alors Wanaa surgirait intacte, la fureur peinte sur le visage, la bouche proférant — depuis toutes ces années — la même formule magique... et il ne ferait pas bon se trouver sur son chemin.

Rök s'impatientait. Il invectiva les travailleurs qui courbèrent l'échine. Marion percevait leur colère rentrée. Ils détestaient cette besogne de profanateurs. Ils n'avaient pas peur de se battre à un contre cent, mais redoutaient les forces occultes, les manigances des sorcières contre lesquelles les plus braves restaient impuissants.

Ils le répétèrent : *ils ne toucheraient pas à la magicienne*, Marion devrait creuser elle-même les derniers pouces de glace la séparant du corps.

Ils avaient peur de prendre feu s'ils posaient les mains sur Wanaa.

Les ultimes travaux de dégagement s'effectuèrent sans qu'une parole soit prononcée, dans le seul raclement des outils. L'ymagière voyait grandir la silhouette de la morte avec angoisse. La texture vitreuse de la paroi ne permettait pas de distinguer les détails du corps, mais on devinait que Wanaa était enveloppée de fourrures au moment de la catastrophe. Cette fois, les guerriers abandonnèrent leurs outils et battirent en retraite. Ils n'iraient pas plus loin. Le dégagement du cadavre incombait à la sorcière française. La galerie se vida et Marion resta seule en compagnie de Svénia. Les deux femmes ne parvenaient pas à détacher leur regard de la silhouette aux bras levés.

— On dirait qu'elle va nous frapper, murmura la servante.

— Mais non, murmura Marion. Elle cherchait à se protéger des blocs qui lui tombaient dessus. Tu aurais fait la même chose à sa place.

L'heure n'était plus aux tergiversations. Marion se tourna vers l'esclave et lui présenta ses mains gantées de fer.

— Libère-moi, ordonna-t-elle. Je ne peux pas tenir un outil avec les doigts coincés dans ces coquilles.

La vieille femme obéit. La clef joua en crissant. L'ymagière ouvrit et ferma les paumes plusieurs fois. Elle commençait à craindre que l'immobilité à laquelle on contraignait ses mains ne favorisât le développement de rhumatismes articulaires. Quand elle aurait les doigts tordus, elle ne pourrait plus sculpter.

Elle s'avança dans le tunnel, laissant Svénia plantée sur le seuil. Si elle en avait eu la possibilité, la servante aurait pris ses jambes à son cou. Bjorn était resté recroquevillé sous ses couvertures, rempli d'eau-de-vie jusqu'aux oreilles.

Marion serra le manche de la pioche entre ses paumes engourdies. Pas à pas, elle remontait la galerie en direction de la silhouette. Le soleil entamait sa course déclinante et l'ombre de la défunte devenait confuse.

« C'est une mauvaise heure pour une exhumation », songea la jeune femme. Elle aurait préféré procéder au grand soleil, dans une vive lumière qui l'aurait protégée des fantômes nocturnes.

Retenant sa respiration, elle leva l'outil et attaqua la glace. Elle eut l'impression de forer du verre. Par instants, des éclats lui cinglaient le visage, et elle s'arrêtait pour porter les doigts à ses joues, persuadée qu'elle allait les ramener tachés de sang. Au fur et à mesure qu'elle se rapprochait du corps, elle éprouva la nécessité d'établir une sorte de contact mental avec Wanaa. Ce monologue prit rapidement l'allure d'une prière.

« Ne me fais pas de mal, pensait-elle. On ne m'a pas laissé le choix. Peut-être n'avais-tu aucune envie d'être dérangée. Peut-être te trouvais-tu très bien ici. Je ne suis pour rien dans ce viol de sépulture. C'est Rök qui m'a obligée. Tu devras t'en souvenir. »

La lumière baissait trop vite au goût de Marion. Dans peu de temps, elle serait réduite à travailler dans une semi-obscurité. Seule la lampe à huile brandie par Svénia, à l'entrée du tunnel, l'éclairait encore. Elle en avait assez, elle voulait finir. Elle frappa de toutes ses forces, crevant la muraille...

Et soudain quelque chose jaillit de la glace pour se jeter sur elle. Une masse énorme, couverte de poil. Un monstre à la gueule remplie de crocs. Marion n'eut pas le temps de hurler. La chose s'abattit sur elle, la renversant sur le sol, l'écrasant.

La jeune femme voulut appeler à l'aide, mais le démon velu pesait sur sa poitrine, l'empêchant de respirer. Elle crut que ses côtes allaient craquer. Collée à terre, elle n'avait même plus la possibilité de se débattre.

— Svénia..., gémit-elle, Svénia... viens m'aider, j'étouffe.

Terrifiée, la servante avait déjà tourné les talons pour s'enfuir. La voix de sa maîtresse la fit revenir sur ses pas. Ses dents claquaient de frayeur et elle avait le plus grand mal à maintenir la lampe à huile droite. Comme elle arrivait à la hauteur de Marion, elle laissa échapper un caquètement soulagé.

— Ce... ce n'est pas un démon, souffla-t-elle. Ce n'est qu'un ours... un ours tombé dans une crevasse. Par Odin ! j'ai cru que c'était Loki, le dieu méchant, qui te saisissait à la gorge pour t'entraîner aux enfers.

Dans son trouble, elle mélangeait les mythologies.

Posant le photophore sur le sol, elle entreprit de repousser l'énorme carcasse qui broyait Marion. Par bonheur, il ne s'agissait pas d'un ours adulte. L'ymagière put enfin échapper à l'étreinte du cadavre géant qui avait bien failli l'écraser.

— Attention à tes mains, souffla Svénia. Ne me touche pas... et ne touche pas non plus la bête. On nous regarde.

La jeune femme comprit ce que sous-entendait la servante : si on voyait la sorcière française poser les doigts sur une esclave sans que cette dernière prenne feu, on cesserait d'accorder le moindre crédit à ses pouvoirs.

— D'accord, murmura-t-elle. Remets-moi les gantelets, vite.

Déjà, la galerie se remplissait. Les guerriers s'avançaient, l'épée au poing. Rök les écarta d'une bourrade. Tous se figèrent en découvrant la dépouille de l'ours mort, auquel son pelage mouillé conférait quelque chose d'obscène. « On dirait un homme, songea Marion. Un homme velu sortant du bain. »

La peur éprouvée entre les pattes de son agresseur la faisait déraisonner. Elle s'était préparée à encaisser les moqueries des Vikings, mais ceux-ci demeurèrent sombres. La dépouille de l'ours n'avait éveillé aucune hilarité dans leurs rangs. L'un d'eux marmonna une phrase qui fit hocher la tête à ses compagnons.

— Il dit que c'est un signe funeste, traduisit Svénia. Loki t'a fait une farce. Il t'a attirée dans la mauvaise direction avec l'espoir de te tuer. Et il a bien failli y réussir.

Rök prit la parole pour ordonner qu'on recouvre la bête de glace et qu'on ferme le tunnel. Il maîtrisait mal sa colère, et, pas une fois, ses yeux ne se posèrent sur Marion. La jeune femme comprit qu'elle n'était pas loin de la disgrâce. Quand les hommes se furent retirés, Svénia murmura :

— C'est mauvais pour nous. Rök avait placé de grands espoirs en toi, maintenant Boulba aura beau jeu de prétendre que tu n'es bonne à rien.

Marion serra les mâchoires. Elle avait conscience d'avoir donné d'elle une image peu flatteuse ainsi coincée sous la carcasse de l'ours. Elle doutait d'être prise au sérieux lorsqu'elle devrait décider de l'ouverture de la nouvelle galerie. Svénia l'aida à se relever.

— Viens, soupira la servante. Tu es trempée, il faut changer de vêtements. Et puis tu pues le fauve.

Elles durent remonter les galeries sous les regards

réprobateurs du clan. Elles croisèrent les deux filles de Boulba qui éclatèrent de rire en levant les bras au-dessus de leur tête pour mimer la posture d'un ours dressé sur ses pattes postérieures.

À peine franchi le seuil de leur refuge, elles découvrirent Bjorn, ivre mort, qui, à l'aide de ses anciens outils, gravait des runes sur les murs.

— C'est pour nous protéger, expliqua Svénia. Il dit que ta chance a tourné et que le mauvais œil est sur toi.

CHAPITRE VINGT ET UN

Marion dut décider de l'ouverture d'un nouveau tunnel. Une lueur de méfiance brillait dans l'œil des ouvriers. Ils ne croyaient plus en elle ; l'épisode de l'ours mort avait terni son aura. Les choses viraient à l'aigre.

« Si je me trompe encore une fois, songea la jeune femme, je suis perdue. Ils ne me pardonneront pas deux erreurs de suite. »

Elle essaya de solliciter la mémoire de Bjorn, d'obtenir de l'ancien sculpteur des indications sur la position du clan au moment de la catastrophe, mais il confondait tout et les vapeurs de l'eau-de-vie n'arrangeaient rien.

Marion s'en remit donc au hasard et donna l'ordre de percer une voie en direction du deuxième cairn bosselant la surface du glacier.

D'emblée, les travaux commencèrent mal. Le plafond de la galerie s'effondra et l'un des guerriers fut tué par la pluie de débris tranchants. Les femmes se lamentèrent. Certaines jetaient à la sorcière française des coups d'œil chargés de haine.

— Elles disent que ce ne serait pas arrivé avec Boulba, expliqua Svénia. Fais donc attention. La

187

patience de Rök est épuisée. Il te fera cruellement payer un nouvel échec.

— Je sais, murmura l'ymagière.

La nuit même, Marion fit un rêve désagréable. Les Vikings l'avaient traînée devant un feu pour attacher ses gantelets à deux anneaux fichés dans le sol. Les guerriers se mettaient alors à puiser de pleines pelletées de braises rouges qu'ils déversaient sur les moufles de fer. Très vite, les gants devenaient incandescents et les mains de Marion commençaient à cuire en répandant une odeur de viande rôtie.

— Voilà ce qui arrive aux fausses magiciennes! vociférait Rök. Quand tes mains seront cuites à point, on te les fera manger.

Elle se réveilla en sursaut, trempée de sueur. Était-ce un rêve prémonitoire? Elle n'osa en parler à Svénia de peur d'effrayer la servante, mais elle eut du mal à se rendormir; une sensation de malaise l'accompagna toute la matinée, alors qu'elle surveillait l'avancement du chantier.

La nuit suivante, elle fut réveillée par d'horribles démangeaisons. Ses mains la grattaient et elle aurait donné n'importe quoi pour pouvoir se soulager. Cette fois, elle n'hésita pas à secouer Svénia. L'irritation était intolérable.

— C'est comme si des milliers d'insectes couraient sur ma peau, expliqua-t-elle. Je suis en train de devenir folle. Ôte-moi ces gants que je puisse me gratter!

— Ce n'est pas normal, observa la servante. Quelqu'un t'a jeté un sort, c'est sûr. Ça sent l'envoûtement à plein nez.

Tout en parlant, l'esclave avait déverrouillé les gantelets, hélas, quand Marion voulut s'en défaire, ses mains étaient déjà si enflées qu'elles ne pouvaient plus sortir des coquilles de métal!

Svénia fronça les sourcils.

— J'ai déjà vu ça, souffla-t-elle. Quelqu'un a versé une poudre urticante à l'intérieur des moufles. C'est ce poison qui t'a envenimé la peau.

— Mais quand? gémit Marion. Je ne les quitte jamais.

— Ce n'est pas vrai, corrigea la vieille. Tu me forces à te les enlever pour ta toilette... ou quand tu vas faire tes besoins. C'est contraire à la règle, mais j'ai cédé à tes caprices, pour préserver ta sacrosainte pudeur.

— Quand je ne porte pas les gants, c'est toi qui les gardes..., objecta l'ymagière.

— Oui, admit la servante, mais il m'arrive de les poser à terre et de m'occuper d'autre chose : du linge, de la nourriture. Je ne les surveille pas en permanence.

— Tu veux dire que quelqu'un aurait pu s'en approcher à ton insu pour y verser une décoction maligne?

— Oui. Les filles de Boulba, par exemple. Ce serait bien dans leurs manières. Depuis quelque temps, elles sont toujours fourrées dans mes pattes, je commence à comprendre pourquoi. Elles attendaient le moment propice. Leur mère a dû leur confier cette cochonnerie à ton intention.

Marion serra les mâchoires. Les démangeaisons la rendaient folle. Si elle avait pu, elle se serait écorché les paumes avec une râpe en fer. Elle maudissait la négligence de Svénia. Comment avait-elle pu être assez sotte pour ne pas se méfier des deux horribles gamines? Oh! C'était trop stupide!

— Je vais faire couler de la neige fondue à l'intérieur des gantelets, proposa la servante. Cela te soulagera.

Mais elle n'avait pas l'air d'y croire. Au reste, la tentative se solda par un échec car les mains de Marion étaient à présent si enflées que la chair des poignets formait un bourrelet empêchant toute intrusion.

— C'est mauvais, marmonna la vieille. J'ai peur que le sang cesse de circuler et que tes mains deviennent noires. Si ça se produit, c'est la gangrène assurée. Par les dieux ! On dirait qu'elles enflent à vue d'œil.

Elle disait vrai. Marion se retenait de gémir mais elle avait l'illusion que ses paumes allaient éclater d'un moment à l'autre telles deux vessies trop gonflées. C'était insupportable. Svénia était allée ramasser de la glace pilée qu'elle entassait maintenant sur les gantelets, dans l'espoir de réduire l'inflammation.

« Le pire, songea Marion, c'est que nous ne pouvons même pas espérer l'aide de Boulba. Si nous allions la trouver, elle achèverait de m'empoisonner. »

— Je vais préparer une décoction, marmonna la vieille femme, tu y plongeras les moufles. Avec un peu de chance, l'irritation se calmera.

Elle s'agita, fouillant dans les différents coffres qu'elle traînait toujours derrière elle. Marion aurait voulu croire en ses promesses, mais le savoir de Svénia semblait bien ténu en comparaison de la magie de Boulba. Elle se mordit les lèvres jusqu'au sang. Pour un peu, elle se serait cogné la tête contre les murs. C'était comme si elle avait passé des heures à chiffonner des orties entre ses doigts nus. Elle se mit à pleurer.

— Calme-toi, chuchota Svénia en lui caressant la tête. Je vais faire bouillir ces feuilles. Quand la tisane sera chaude, tu y plongeras les gants.

190

À la jointure des poignets, la chair devenait bleuâtre. L'enflure, s'alliant à l'étroitesse du gantelet, empêchait le sang d'irriguer la paume.

— Si ça ne marche pas, observa la servante, il faudra couper avant que la viande ne pourrisse.

— Ne recommence pas avec ça ! siffla Marion.

— Je parle pour ton bien, grogna Svénia.

— Prends un couteau, ordonna l'ymagière. Entaille la peau pour faire couler le sang. Cela résorbera l'enflure.

La servante hésita, puis, saisissant un stylet, fendit les boursouflures d'un geste sec. Marion n'éprouva aucune douleur. Les coupures n'étaient rien comparées aux démangeaisons.

Quand la décoction eut infusé, la jeune femme y plongea les mains. Au bout de quelques instants, sa peau fut gagnée par l'engourdissement, et l'envie de se gratter jusqu'à l'os qui la taraudait depuis une heure diminua enfin.

— Ça s'endort, hein ? triompha Svénia. Ne bouge pas. Si les dieux sont avec nous, ça va désenfler et l'on n'aura pas besoin de te trancher les mains.

Elle attendit l'aube ainsi, les mains immergées dans la marmite emplie d'eau noire, où flottaient des débris végétaux inidentifiables. Lentement, l'engourdissement montait vers ses coudes, ses épaules. « Quand ça te prendra la poitrine, avait indiqué Svénia, il faudra retirer tes mains du liquide, sinon ton cœur s'arrêtera. »

Marion était si lasse qu'elle fut tentée de ne point obéir. L'espace d'un moment, elle se dit qu'il serait peut-être plus simple de laisser la paralysie la gagner tout entière. Qu'avait-elle à attendre de l'avenir ? Ne serait-il pas plus reposant de s'abandonner à cette mort douce ?

Ce fut Svénia qui la rejeta en arrière. Marion l'entendit grogner :

— Petite garce ! Tu fichais le camp, hein ? Il n'en est pas question. Si tu meurs, je meurs. Alors je te remettrai sur pied, que ça te plaise ou non.

Marion s'endormit. Quand elle s'éveilla, ses mains avaient désenflé. Svénia lui avait ôté les gantelets pour en récurer l'intérieur avec de la cendre et du vinaigre.

— Maintenant, il faudra toujours avoir l'œil dessus, marmonna-t-elle. L'alerte a été chaude. Il s'en est fallu de peu que Boulba ne réussisse son coup.

Marion examina ses paumes, ses doigts... La chair restait empourprée, comme sous l'effet d'une poudre au vitriol romain, et des cloques subsistaient çà et là, en grappes disgracieuses.

— Frotte-les avec de la glace pilée, ordonna la vieille.

— Boulba recommencera, soupira Marion. Elle ne se contentera pas d'une seule tentative.

— Nous serons vigilantes, assura Svénia. Si je vois les deux gamines rôder dans les parages, je les chasserai aussitôt.

L'ymagière hocha la tête, remit les moufles métalliques, et se leva pour gagner le chantier. Elle savait qu'il s'en était fallu de peu. Sans l'aide de Svénia, ses mains auraient commencé à pourrir avant le coucher du soleil.

Comme elle l'avait prévu, il y eut bel et bien une deuxième tentative. Une nuit, en se glissant entre ses couvertures, Marion perçut la présence de plusieurs corps étrangers sous ses pieds nus. Quand elle rejeta la fourrure pour examiner la paillasse, elle trouva trois vipères, d'une espèce particulièrement venimeuse. Les reptiles se tortillaient paresseusement comme s'ils s'étaient assoupis.

— C'est le froid, expliqua Svénia. Tu as eu de la chance. C'est le froid qui t'a sauvée ! Les serpents s'engourdissent dès qu'ils ne sont plus à la chaleur. Aujourd'hui, j'ai oublié de mettre une cruche remplie de braises brûlantes dans ton lit... Si je l'avais fait, comme chaque soir, les vipères auraient été réveillées et t'auraient piquée.

À coups de tisonnier, elle brisa l'échine des aspics somnolents.

— Ça vient encore de Boulba, chuchota-t-elle. Elle veut te supprimer avant que tu ne déterres le cadavre de Wanaa.

— En tout cas, elle met les bouchées doubles, observa Marion. Cela signifie peut-être que je creuse dans la bonne direction. Elle le sait et elle tente de m'arrêter avant que je ne parvienne à la chambre mortuaire ?

— Peut-être bien, admit la servante.

CHAPITRE VINGT-DEUX

Deux jours plus tard, une ombre se dessina dans la glace. Une longue silhouette couchée. Les proportions semblaient celles d'une femme. Une ferveur angoissée s'empara des guerriers. Rök s'avança au seuil du tunnel mais resta immobile, dans l'incapacité d'aller plus loin. Marion réalisa qu'il tremblait de tous ses membres. Il demeura ainsi une minute, puis s'enfuit sans un mot.

— Cette fois, c'est la bonne, fit Svénia en hochant la tête. Boulba le savait, sa magie l'avait renseignée sur l'emplacement de la caverne funéraire... Tu devras prendre des précautions avant d'entrer. Bjorn raconte que Wanaa avait l'habitude de s'enfermer là-dedans avec ses serpents. Des dizaines de vipères. Elle s'étendait nue sur un lit de fourrure et laissait les aspics lui courir sur le corps.

— C'était il y a longtemps, observa Marion.

— Ne joue pas les faraudes, grogna la vieille. On dit que les serpents peuvent dormir des dizaines d'années. Le froid les engourdit et leur permet de traverser le temps sans dommage. Si tu entres dans le sépulcre avec une torche, la chaleur risque de les réveiller... Alors ils se jetteront sur toi pour te piquer, tous en même temps.

Marion haussa les épaules. Elle ne croyait pas à la survie des vipères, mais elle décida de prendre néanmoins des précautions. On prétendait que les croisés, en ouvrant les tombeaux des anciens pharaons, avaient été assaillis par des cobras emmurés là depuis deux mille ans. Comment savoir ?

Maintenant, les hommes ne creusaient plus qu'avec circonspection. Des objets sortaient de la glace, prouvant qu'on était bien sur les lieux de la catastrophe : des cruches, des couteaux, mais aussi des étoffes... et même un chien aplati par l'avalanche. Marion comprit qu'elle ne pouvait plus différer le rendez-vous.

Quand on ne fut plus qu'à une coudée de la silhouette couchée, les Vikings laissèrent tomber leurs outils et refluèrent hors de la galerie. Ils s'appliquèrent à effectuer cette retraite dans la dignité ; toutefois l'on devinait sans mal qu'ils se retenaient de courir. Les corridors de la cité souterraine s'emplirent de chuchotements : *ça y était, on avait localisé la dépouille de Wanaa, la grande magicienne dont les anciens se souvenaient encore avec angoisse... La sorcière française allait entrer dans le tombeau pour récupérer le corps...*

C'était la volonté de Rök et personne ne s'y opposerait, pour sûr, mais on avait peur des conséquences. Dans quel état d'esprit était Wanaa ? On disait les morts pleins de colère, avides de vengeance, jaloux des vivants. En irait-il de même pour l'épouse de l'ancien chef ?

Ragnaar avait choisi de se cacher au fond de sa niche. On ne le voyait plus errer dans les galeries, en quête de pitance. Le retour de Wanaa semblait le terrifier plus que les autres.

« C'est normal, songea Marion. Il a peur d'avoir

mal. Contempler le visage inchangé de celle qu'il a perdue réveillerait sa souffrance. Il ne voudra pas la voir, c'est certain. »

— À présent, c'est à toi de jouer, déclara Svénia. J'espère que les dieux te protégeront. N'oublie pas ce que je t'ai dit à propos des serpents. La caverne de divination doit grouiller de vipères.

— Si elles ne sont pas mortes de faim depuis tout ce temps, le froid a dû les engourdir, fit Marion.

— Comment savoir ? soupira la servante. C'étaient des vipères magiques. Elles injectaient leur venin dans les veines de Wanaa, mais le sang de Wanaa passait également en elles. *Le sang de la magicienne...* Tu dois t'attendre à tout. Pour rien au monde je ne voudrais être à ta place.

Elle libéra Marion des gantelets, car l'acier aurait pu virer au rouge au contact de la dépouille de Wanaa. Seules les mains d'une sorcière pouvaient toucher la chair d'une enchanteresse morte au cours d'une cérémonie divinatoire.

— Elle était en transe quand la mort l'a surprise, expliqua Svénia. Elle se déplaçait quelque part entre le royaume des hommes et celui des dieux. L'énergie divine était en elle, le feu sacré coulait dans ses veines. Elle n'était plus tout à fait humaine. C'est pour cette raison qu'elle est dangereuse. C'est comme si son enveloppe charnelle était pleine de tonnerre et d'éclairs n'attendant qu'une occasion pour s'échapper à l'air libre. Elle est gonflée d'un orage, d'une tempête qui attend depuis trop longtemps le moment d'exploser. Voilà pourquoi personne ne veut courir le risque de la toucher.

Elle bredouillait, les yeux embués.

« Elle sait que je n'ai aucun pouvoir, pensa Marion. Elle est persuadée que je ne reviendrai pas vivante. »

Svénia tira d'un coffre des bottes montantes en gros cuir et les présenta à sa maîtresse.

— Mets cela, ordonna-t-elle. Elles te protégeront des serpents.

L'ymagière se conforma à ses souhaits. Elle avait hâte d'en finir. Elle attira la vieille femme contre elle et la remercia de l'avoir aidée au cours des dernières semaines. Svénia se mit à pleurer.

Marion se détourna pour gagner le tunnel. Les gens s'étaient tous retranchés chez eux, comme à l'approche d'une catastrophe. Les couloirs étaient déserts, seuls les héros pris dans la glace montaient la garde de part et d'autre des chemins de circulation. La jeune femme s'engagea dans le boyau. Elle respirait mal. Les gouttes d'eau tombant du plafond la faisaient sursauter. Elle ramassa une pioche abandonnée et s'approcha de la paroi. Une coudée la séparait de l'ombre étendue au centre de la caverne divinatoire. Une coudée qu'il lui faudrait creuser de ses mains.

Elle commença à frapper, arrachant des esquilles de glace à la muraille. L'écho des impacts courait à travers la taupinière, faisant se recroqueviller les membres du clan. Marion avait pensé que Rök tiendrait à être présent, mais — comme c'était déjà le cas pour son père, Ragnaar — le retour de la grande magicienne lui inspirait manifestement des sentiments mêlés. Marion l'imagina, terré au fond de ses « appartements », comptant les coups de pioche en se tordant les mains.

La glace était dure. L'ymagière transpirait sous ses fourrures.

Une excitation sourde la gagnait. Malgré toutes ses appréhensions, *elle avait hâte de savoir...*

Enfin, la pioche troua la paroi.

L'avalanche n'avait pas totalement comblé la

caverne. Il subsistait çà et là d'étroits passages où l'on pouvait ramper. Avec le temps, les milliers de glaçons avaient fini par se souder entre eux pour former une cloche de verre au sein de laquelle Wanaa était retenue prisonnière.

Le souffle court, Marion se glissa dans le tombeau. Le froid, intense, avait tout préservé de la corruption. Des peaux tannées, raides comme des planches, tapissaient le sol. Le givre recouvrait chaque objet d'une pellicule scintillante. Les jarres, les pots avaient l'air saupoudrés de poussière de diamant. L'ymagière se garda de poser les doigts sur quoi que ce soit. La température était si basse qu'ils seraient restés collés. Elle examina les torchères, les lampes, les haches et autres armes d'acier noir. Les rayons du soleil, se diffusant dans l'épaisseur du glacier, nimbaient le lieu d'une aura féerique. Une grosse jarre avait été réduite en miettes, libérant des dizaines de vipères qui s'étaient mises à grouiller sur le sol. Le froid les avait changées en pierre. Elles évoquaient aujourd'hui de fines sculptures taillées dans le marbre ou la malachite. Marion ramassa l'une d'elles. Le serpent, fossilisé, formait une boucle. Elle aurait pu le passer à son poignet pour s'en faire un bracelet.

« Elles sont mortes, se dit-elle. Même si je les réchauffais à la flamme de la lampe à huile, elles ne reprendraient pas vie. »

Toutefois, elle n'alla pas jusqu'à vérifier sa théorie et rejeta la vipère durcie au milieu des autres.

Les blocs soudés de façon anarchique ne lui permettaient pas de circuler à sa guise, aussi mit-elle longtemps à se rapprocher de Wanaa. Pour le moment, elle ne voyait de la magicienne qu'un corps caché sous une couverture et une abondante chevelure blonde coulant sur un oreiller de cuir.

« Elle dormait, pensa-t-elle. L'avalanche l'a tuée dans son sommeil, alors qu'elle était sous l'influence de la drogue. »

Marion lutta contre un vague sentiment de déception. Les évocations de Svénia l'avaient préparée à une scène apocalyptique : Wanaa nue, écartelée sur un lit de serpents fouettant l'air. Wanaa en Walkyrie furibonde, les yeux révulsés, blancs, la bouche proférant des oracles sous forme d'énigmes indéchiffrables... Elle avait beaucoup pensé à ce corps de femme, blanc, aux seins sillonnés de morsures, à cette demi-déesse dont les veines charriaient un sang corrompu par le venin. Elle s'était attendue à un spectacle grandiose, elle découvrait une dormeuse frileusement emmitouflée dans une peau d'ours, qui n'avait pas même vu venir sa mort.

Qu'importe, il fallait creuser, dégager la magicienne, en finir avec cette sinistre profanation.

Marion s'agenouilla. Il faisait si froid que l'air, en pénétrant dans ses poumons, lui faisait mal. Elle passa des gants de laine et reprit sa pioche. Elle devait casser le « cercueil » de glace où Wanaa reposait, en prenant garde, toutefois, de ne pas frapper trop fort.

« Sinon je risque de briser le cadavre par la même occasion, pensa-t-elle. Et je doute que Rök apprécie. »

Elle s'empressa de bouger car la température était insupportable. Si elle commettait l'erreur de rester trop longtemps immobile, elle s'assoupirait. Svénia l'avait souvent prévenue contre ce piège sournois. « Le sommeil de l'hiver, c'est le sommeil de la mort », répétait-elle.

Le fer de l'outil émiettait le sarcophage de glace avec difficulté. Tout en travaillant, Marion continuait son examen des lieux. Wanaa avait aménagé là une sorte d'igloo rappelant la tanière de Boulba. Les jarres et les pots scellés à la cire étaient nombreux. L'avalanche les avait en grande partie réduits en miettes. Leur contenu, saupoudré de gel, restait mystérieux.

Enfin, Marion put s'agenouiller et commencer à dégager les débris de glace entourant la dépouille de Wanaa. À présent que le « sarcophage » était fragmenté, elle les ôtait un à un, tels les morceaux d'une coquille géante. Quand ses doigts frôlèrent les cheveux blonds de la magicienne, elle frémit.

Elle n'aimait pas ce qu'elle était en train de faire. Les lèvres serrées, elle se dépêcha de repousser les plus gros débris. Sous la chape de glace, la fourrure de loup avait la consistance du carton.

Marion s'immobilisa soudain, intriguée par la forme du corps sous la couverture. La posture de Wanaa lui paraissait peu naturelle.

« Allons, se dit-elle, c'est sans doute parce qu'elle a été écrasée par les blocs. Quand tu écartras la peau de loup, tu mettras à jour un beau gâchis. »

Rök apprécierait-il de voir sa mère dans cet état, aplatie comme un lézard sur lequel a roulé un boulet de pierre ?

Se préparant au pire, elle saisit couverture à deux mains, et, se redressant, lutta pour la détacher du cadavre avec lequel elle semblas ne faire qu'un.

Elle crut qu'elle n'y arriverme une cotte de loup lui écorchait les doigtssives dont l'accablait Marion, la couverturssa échapper un cri deux morceaux. L'ymag Wanaa n'était pas de stupeur. Sous la f tout à coup en seule... pagnie. Un homme nu,

Un homme lui te comme elle.

« Ils étaient en train de faire l'amour, constata Marion. L'avalanche les a surpris au beau milieu des caresses. Voilà pourquoi ils n'ont pas entendu les cris d'alarme des guetteurs. »

Abasourdie par la révélation, elle scrutait les deux corps pétrifiés par le gel. Les mains de l'homme sur la femme... les mains de la femme sur l'homme... Leurs cuisses se mêlant. La bouche du Viking dévorant les seins de Wanaa... Aucun doute ne subsistait.

« Elle venait ici pour retrouver son amant, pensa Marion. La transe divinatoire n'était qu'un prétexte. Elle tenait tout le monde à l'écart avec ses histoires de vipères démoniaques. Elle déclarait haut et fort qu'elle allait interroger les dieux et qu'il ne fallait à aucun prix la déranger, puis elle attendait avec impatience la venue de ce guerrier à qui elle s'offrait à l'insu de Ragnaar, son mari, le chef du clan. »

Une liaison secrète... oui. Une liaison éminemment dangereuse qui aurait pu leur coûter la vie à tous deux. Ils le savaient, voilà pourquoi ils prenaient ant de précautions pour se rencontrer.

Marion leva les yeux, essayant de reconstituer la façon dont les choses s'étaient passées.

Dissimulé dans la montagne, le guerrier avait attendu le moment propice pour se glisser dans la caverne divinatoire, ce trou creusé dans le glacier. Probablement avait-il pris la précaution de s'envelopper dans un manteau blanc, puis il avait rampé vers l'orifice. Le stratagème avait fonctionné à merveille jusqu'au midi-là, tout à de l'avalanche. Cet après-midi-là, tout à de l'avalanche. Cet après-midi-là, tout à leurs transports, les deux amants n'avaient pas entendu le bruit sourd de la muraille de neige en train de s'ébouler. Un pan de montagne pulvérisée s'était engouffré dans la caverne, neige et glace mêlées. Les blocs de glace gelée, plus durs que la

202

pierre, leur avaient brisé le crâne, les foudroyant au milieu d'une caresse.

Marion n'avait qu'à se pencher pour voir la tête enfoncée de l'homme, et la tempe droite, curieusement aplatie, de Wanaa.

« C'est comme si on les avait lapidés avec une fronde, se dit-elle. À aucun moment ils n'ont eu conscience de ce qui se passait. »

Le souffle court, l'ymagière achevait de dégager les deux corps. Le gel leur avait donné la solidité des statues et elle avait l'impression d'être en train de retirer la bâche posée sur un gisant qu'on lui aurait commandé de tailler.

Puis l'inquiétude prit le relais de l'excitation.

« Mon Dieu ! réalisa-t-elle. *Je suis la seule à savoir !* Ni Ragnaar ni Rök ne sont au courant. Ragnaar a hurlé sa souffrance des mois durant, Rök vit dans le souvenir idéalisé d'une mère qu'il se rappelle à peine... »

La peur la saisit. Elle venait de mettre à jour un secret dont la révélation risquait d'attirer sur elle les foudres du clan. Personne ne voudrait admettre que Wanaa, la grande Wanaa, s'était comportée comme une catin... qu'elle avait trompé Ragnaar avec le premier venu, qu'elle...

On punissait les porteurs de mauvaises nouvelles, parfois même on les mettait à mort. Il était donc hors de question qu'elle émerge de la tombe en racontant la vérité. Personne ne devait savoir, *jamais !* Il fallait s'en tenir à la légende, ne rien révéler qui puisse générer le plus infime soupçon.

« Rök ne me le pardonnerait pas, se répétait-elle tandis que la panique s'emparait d'elle. Jamais il ne me laisserait salir l'image de sa mère. »

Il fallait agir vite, dégager le corps de Wanaa avant que les Vikings ne reprennent courage et s'avancent dans le tunnel.

Elle toucha les deux corps gelés. Comment les désunir ? L'un et l'autre avaient la consistance de la pierre.

« Je dois casser l'homme, décida-t-elle. Le fragmenter... Ainsi je dégagerai Wanaa sans l'abîmer. Le fait qu'elle soit nue n'étonnera personne puisqu'elle avait la réputation de s'offrir aux vipères sacrées dans cette tenue. »

Oui, c'était l'unique solution : briser l'amant en petits morceaux, comme on détruit une effigie de marbre, et dissimuler les débris dans les multiples jarres entreposées dans la caverne.

Les nerfs tendus, Marion retourna chercher des outils dans le tunnel. Elle disposait de peu de temps. Elle prit son burin, son marteau, et attaqua le corps de l'homme au défaut de l'épaule.

Qui était-il ? Un guerrier appartenant au clan... ou un homme d'une tribu adverse, un ennemi ?

Pour l'instant, Marion ne distinguait que sa chevelure nattée, sa barbe. Le givre les faisait paraître blanches.

Elle frappait à coups secs, comme si elle démantelait une statue. À force de tailler la pierre, elle avait développé de bons muscles, et certains hommes l'avaient appris à leurs dépens. Le bras gauche se brisa net.

« De la pierre... Un membre de gisant... rien d'autre », se répéta la jeune femme pour affaiblir l'horreur de la situation. Sans reprendre son souffle, elle attaqua cette fois la base du cou. Ce serait plus difficile. Mais non... peut-être pas, après tout ; les matériaux fragilisés par le froid cassaient souvent comme du verre. Elle avait vu des lames de hache voler en éclats certains jours de gel.

La gorge se lézarda sous la morsure du burin. Marion dut prendre une cognée pour continuer le travail. En entendant le bruit des coups, les Vikings devaient penser qu'elle était toujours occupée à creuser.

Enfin, la tête roula sur le sol. La jeune femme ne perdit pas de temps à l'examiner car il lui fallait encore briser la jambe gauche du mort au niveau de la hanche si elle voulait dégager Wanaa. En effet, la cuisse de l'homme pesait sur la sienne, comme s'il essayait de la chevaucher. C'était un guerrier de haute taille, à la musculature développée. De longues cicatrices marquaient son dos et ses flancs.

Marion se prit à maudire Wanaa qui lui imposait cette besogne infecte. Maintenant, elle transpirait à grosses gouttes, tremblant que Rök ne passe soudain la tête dans le trou, derrière elle. Il ne lui faudrait pas longtemps pour comprendre la vérité.

« Alors il me tuera, pensait Marion. Il m'étranglera sur-le-champ, pour protéger la mémoire de sa mère. Jamais il ne me laissera ressortir vivante de la caverne. »

Elle redoubla d'ardeur. Elle avait perdu la notion du temps. Il lui sembla qu'elle frappait depuis des heures. La jambe se brisa. Dès lors, il devenait possible de dégager la magicienne, de la faire rouler sur le côté.

C'était une grande et belle femme, bâtie comme une jument impérieuse. Aussi grande qu'un homme, elle avait les épaules et les hanches larges. Le désir avait érigé ses mamelons et elle se tenait le visage renversé, la bouche ouverte. Marion jugea qu'on pourrait mettre cette expression extatique sur le compte de la transe et de la possession divine.

Elle décida qu'elle couvrirait le corps de vipères pétrifiées, pour accréditer la légende. Personne n'y verrait malice, mais avant cela, elle devait faire disparaître la dépouille démembrée de l'inconnu.

Elle se pencha sur le cadavre du guerrier. Il était mort en érection, juste avant d'entrer dans le ventre de Wanaa. Ce sexe dardé semblait narguer l'ymagière, il avait l'air de crier : « Tu auras beau t'acharner, je serai toujours vivant. »

Elle reprit le marteau. Il lui fallait encore séparer les deux autres membres du tronc, alors seulement elle pourrait espérer les cacher dans une jarre. La peur qui lui tordait les tripes la protégeait de l'horreur de ses gestes. Elle ne pensait plus. Elle s'appliquait à faire le plus vite possible. Sa survie en dépendait. De temps à autre, elle s'immobilisait pour regarder par-dessus son épaule, s'attendant à voir entrer Rök. Elle étouffait et grelottait tout à la fois.

Quand elle eut brisé le bras et la jambe droite de l'inconnu, elle passa les poteries en revue. Quatre grandes jarres occupaient le fond de la caverne ; il y avait aussi deux coffres en bois. Ils contenaient des étoffes, des robes, dont certaines cassèrent entre les doigts de Marion. L'ymagière y enfouit les membres de l'homme, ainsi que son tronc. Au moment où elle ramassait la tête, elle poussa un cri de surprise.

C'était celle de Rök...

La stupeur lui coupa le souffle.

« C'est Rök, se dit-elle en se débattant contre la confusion mentale qui l'envahissait. C'est Rök... et en même temps ce n'est pas lui. Non... pas tout à fait. C'est quelqu'un qui lui ressemble. Qui lui ressemble beaucoup. »

Alors, seulement, elle comprit. Était-elle bête ! Rök n'était pas le fils de Ragnaar... Son vrai père, c'était cet inconnu dont Marion tenait la tête tranchée entre ses mains.

« Mon Dieu ! souffla la jeune femme. Wanaa trompait Ragnaar depuis toujours. C'est avec son amant qu'elle a conçu son fils, pas avec son mari. »

Elle dut faire un effort pour vaincre l'hypnose qui la pétrifiait. Maintenant qu'elle y regardait de plus près, elle voyait bien que l'homme était plus jeune que Rök, mais la ligne des sourcils, le front, le nez, l'implantation de la barbe étaient identiques.

« Wanaa trompait Ragnaar, se répétait-elle en dévisageant le guerrier mort dont elle ne se décidait pas à lâcher la tête. Elle, la grande magicienne, la devineresse aux vipères sacrées, elle le cocufiait avec... »

Avec qui, d'ailleurs ?

Il ne pouvait en aucun cas s'agir d'un membre du clan, on eût reconnu sur les traits de Rök la filiation honteuse dont il était issu... non, l'homme venait forcément du « dehors », d'une autre tribu.

« Un ennemi, songea Marion. Voilà qui rendait la faute plus abominable encore. »

Elle se secoua, le temps lui était compté, elle devait achever sa mise en scène au plus vite. Elle jeta la tête dans l'une des grandes jarres. Cela fait, elle pelleta de la neige, des esquilles de glace, et remplit le récipient à ras bord au cas où un visiteur curieux serait tenté d'en vérifier le contenu. Sur le sol, elle trouva les vêtements de l'homme, ses armes, ses bottes. Il fallait également les cacher. On pourrait s'étonner de leur présence dans le sanc-tuaire de l'enchanteresse. Elle se faisait l'effet d'une criminelle maquillant un assassinat en accident. En dépit de la température glaciale, elle avait le feu aux joues.

Avait-elle encore oublié quelque chose ?

« Mon Dieu, se dit-elle, pourvu que personne n'ait la déplorable idée d'aller fouiller dans les malles ! »

Elle revint vers la couche. La position de Wanaa n'était guère naturelle. Difficile d'ignorer qu'elle enlaçait un corps invisible. Sa nudité sentait l'abandon amoureux, la cambrure de ses reins avait tout de l'offre sensuelle. Marion ne pouvait rien y changer.

« Ils penseront que les dieux étaient en train de la posséder, songea-t-elle. Oui, avec un peu de chance, c'est ce qu'ils choisiront de croire. »

Restait le problème de la fourrure... Sur le lit, le corps de l'amant avait imprimé ses contours. Le poil de loup s'était aplati sous le poids de l'homme. Encore une fois, Marion utilisa la glace pilée pour dissimuler les marques par trop révélatrices.

Elle paracheva son travail en couvrant la couche de vipères pétrifiées. Elle espérait que la présence des reptiles dissuaderait les visiteurs d'y regarder de trop près.

Elle se redressait à peine qu'un bruit de pas résonna dans la galerie. Elle eut aussitôt la certitude qu'il s'agissait de Rök. N'y tenant plus, il venait voir...

Marion alla se planter devant la jarre et les deux coffres contenant les restes du guerrier inconnu. Rök apparut dans l'ouverture, suivi de Svénia. Il avait le regard fixe, ses membres tremblaient. Dès qu'il aperçut la dépouille de Wanaa, il tomba à genoux, se cacha le visage dans les mains et se mit à balbutier des mots incompréhensibles. Svénia jeta un coup d'œil à sa maîtresse.

« Elle a deviné que quelque chose n'allait pas, songea l'ymagière. Cette vieille chèvre ne manque pas d'intuition. »

Plus Marion contemplait le cadavre de la magicienne, moins elle croyait en la réussite de son subterfuge. Il fallait être idiot pour ne pas comprendre que cette femme était morte au moment même où elle se donnait à un homme. Son corps n'était qu'une ode à la lascivité. Heureusement, les vipères dont elle était couverte retenaient le regard et inspiraient l'effroi. Rök ne verrait peut-être pas plus loin.

— Il te remercie d'avoir retrouvé sa mère, traduisit Svénia. Il dit que tu seras récompensée. Quand tu mourras, tu auras droit à des funérailles de chef viking, là-haut, sur la montagne. On construira un drakkar funéraire, rien que pour toi. Quant à cette caverne, elle deviendra un sanctuaire dont tu auras la garde. Tu devras l'entretenir, la restaurer... dégager peu à peu de la glace tous les objets de culte qui s'y trouvent entreposés. Personne n'aura le droit d'en franchir le seuil sauf toi... et lui, bien évidemment.

Marion s'inclina, s'appliquant à paraître honorée.

— Toutefois, continua la servante, le clan pourra s'avancer jusqu'à la porte pour contempler la magicienne. Tous doivent savoir que son retour marque le début d'une nouvelle ère. À partir d'aujourd'hui, les choses vont s'améliorer, la chance va revenir, les ennemis seront défaits. Le temps de la tristesse est révolu.

Rök continua à monologuer, énumérant les mille profits dont la providence allait combler le clan, mais Marion ne l'écoutait plus. Elle ne pensait qu'à la manière dont il lui faudrait user pour se débarrasser du corps découpé, car il était inenvisageable de le laisser où il se trouvait. Tôt ou tard, une fois son trouble dissipé, Rök en viendrait à s'intéresser au mobilier de la caverne... La curiosité l'amènerait fatalement à ouvrir les coffres, à se pencher au-dessus des jarres. *Quelle serait sa réaction lorsqu'il tiendrait entre ses mains la tête de son vrai père ?*

« Il comprendra tout, songea Marion. Il saura à quel stratagème j'ai eu recours pour masquer la vérité. Il n'aura pas d'autre choix que de me tuer, pour me faire taire, pour assurer la permanence du secret. Il faudra donc que je me débarrasse du corps, morceau par morceau. Que j'aille enfouir les débris dans la montagne... »

Ce ne serait pas facile. Svénia l'aiderait-elle ?

Rök se redressa. Il fit signe aux deux femmes de sortir. Il voulait se recueillir seul devant la dépouille de sa mère.

« Pourvu que l'idée ne lui vienne pas de soulever le couvercle des coffres », pensa l'ymagière.

Dès qu'elle fut dans le couloir, Svénia lui remit les gantelets.

— Je suis désolée, murmura la servante, mais tant que tu auras les mains nues, les gens n'oseront pas s'approcher.

Son œil de vieille pie scrutait les traits de Marion.

— Tu es sûre que ça va ? insista-t-elle. Tu fais une drôle de tête. On dirait que tu viens de voir le diable. C'est à cause de Wanaa ?

— Oui, mentit la jeune femme. Elle est effrayante, tu ne trouves pas ?

CHAPITRE VINGT-TROIS

Rök fit défiler tout le clan devant le sépulcre de glace. Hommes, femmes, enfants avançaient à la queue leu leu dans le boyau mal équarri. Une fois parvenus au seuil de la chambre mortuaire, ils y jetaient un regard épouvanté, puis s'en retournaient aussitôt, soulagés de laisser la place à ceux qui suivaient.

Il est vrai que le spectacle offert par Wanaa, nue, se convulsant sur un lit de vipères, n'avait rien de rassurant.

Le chef du clan annonça qu'il renonçait à emmurer sa mère dans le cimetière vertical réservé aux héros, comme il en avait d'abord eu l'intention. Il préférait ne pas la bouger et transformer la crypte en salle de recueillement. Ainsi Wanaa serait encore plus près des siens.

Dans la soirée, une distribution de bière et d'eau-de-vie sonna le début des réjouissances. Rök remontait les galeries en portant force libations, et le peuple de la ville souterraine feignait de partager sa joie. En réalité, l'inquiétude avait gagné les cœurs. Les plus jeunes, ceux qui n'avaient jamais connu Wanaa de son vivant, avaient été horrifiés par la visite du sépulcre, et certains n'étaient pas loin de penser qu'il suffirait de réchauffer la dépouille pour lui redonner vie. Boulba faisait grise figure. Son règne s'achevait, la sorcière française avait triomphé.

Ce fut une sombre fête où les rires sonnèrent faux jusqu'à ce que l'effet de l'alcool se fasse sentir.

Rök allait et venait, transfiguré, plein d'une confiance absurde en l'avenir.

Soudain, alors qu'elle remontait la galerie principale, Marion rencontra le regard de Ragnaar. Le vieux chef déchu avait quitté sa niche. Il se tenait au milieu de la foule et ses yeux étaient fixés sur l'ymagière. On eût dit qu'il mettait toute sa vie dans ce regard, et son expression amena la jeune femme au bord du malaise. Pendant un moment, elle crut qu'il lui en voulait d'avoir, par l'exhumation de son épouse, ravivé une douleur enfouie... puis le doute s'empara d'elle.

Il y avait autre chose dans les yeux du vieil homme. Une menace mêlée de complicité.

C'était comme s'il s'était approché d'elle pour murmurer : « Nous savons très bien, toi et moi, à quoi nous en tenir, pas vrai ? »

Marion luttait contre un trouble grandissant. Au milieu des gueules hilares, des trognes enluminées par la bière, elle ne voyait que cette longue face cireuse mangée par une barbe couleur de cendre, dont les yeux semblaient ceux d'un loup.

Que cherchait-il à lui dire ?

À la demande de Rök, Svénia faisait boire Marion qui, à cause des gantelets, ne pouvait saisir les hanaps et les cornes de bière circulant de main en main. L'ivresse gagnait la jeune femme dont les idées s'embrouillaient. Elle aurait voulu être seule, ces réjouissances sinistres l'oppressaient.

Tout à coup, elle eut une illumination, la vérité la transperça.

« *Il sait*, se dit-elle tandis que son cœur se mettait à battre la chamade. Ragnaar sait que Wanaa n'était pas seule... il était parfaitement au courant des rendez-vous galants de sa femme. Il avait découvert qu'elle le trompait avec un guerrier d'un clan adverse, et qu'elle avait eu un fils de cet homme... »

Oui, voilà ce qu'exprimait le regard du vieillard. À présent, Marion croyait presque entendre la voix de Ragnaar chuchoter : « J'ai tué cette chienne et son pourceau d'amant, tu l'as enfin compris ? C'est moi qui ai provoqué l'avalanche, juste à la verticale de la caverne de divination, quoiqu'il aurait été plus judicieux de l'appeler la caverne de fornication, oui ! J'avais découvert son manège, je savais qu'elle m'avait ridiculisé en me faisant endosser une paternité dont je n'étais nullement responsable. Il me fallait agir vite, avant que ma disgrâce ne devienne publique. Pour l'heure, personne n'était encore au courant, mais cela ne tarderait plus. Je devais prendre une décision. J'étais en état de légitime défense... Et puis j'avais peur d'elle. Je n'ignorais pas qu'il lui serait facile de se débarrasser de moi si elle le souhaitait. Elle connaissait les secrets des poisons, elle pouvait m'assassiner à petit feu sans que personne ne s'en doute. Je devais la punir... je devais *les* punir, tous les deux. »

Oui, voilà ce qu'aurait pu murmurer Ragnaar. L'aveu d'un crime ancien perpétré à l'insu de tous. Un crime demeuré secret et impuni pendant tant d'années... et voilà que les investigations de Marion avaient soudain tout remis en question. La légende du grand amour fauché par le destin risquait de s'effondrer du jour au lendemain.

« Il sait que j'ai maquillé la scène du meurtre,

pensa la jeune femme. Il a compris que j'avais fait disparaître le corps de l'amant. À présent, ça se passe entre lui et moi. Nous sommes liés par la même nécessité du silence. Nous sommes complices. »

Marion se sentait près de perdre connaissance. Elle avait peur de Ragnaar. Cet homme n'avait pas hésité à sacrifier la moitié du clan pour sauver son honneur de mari trompé. L'avalanche avait tué des dizaines d'hommes, de femmes, d'enfants, mais cela avait peu d'importance à ses yeux. Il avait sauvé la face, c'était tout ce qui comptait.

Toutefois, un autre danger se précisait : Ragnaar courrait-il le risque de laisser la sorcière française en vie ? Pouvait-il se permettre de partager sa honte avec une étrangère ? Marion en doutait.

« Il a joué les loques humaines, pensa-t-elle, mais il nous a tous trompés, moi la première. Il n'y a qu'à regarder ses yeux pour comprendre qu'il feint la faiblesse depuis des années. Quelque chose le tient en vie... une haine secrète, c'est certain, mais laquelle ? »

De qui voulait-il se venger ? De l'amant tué par l'avalanche à la seconde même où il allait entrer dans le ventre de Wanaa ?

« ... de l'enfant né de cette trahison, bien sûr ! réalisa soudain Marion. C'est Rök qui est visé. Rök qui l'a déchu de son titre de chef de clan, Rök le bâtard. »

Depuis qu'il n'avait plus aucune fonction au sein de la tribu, Ragnaar devait souffrir comme un damné dans les feux de l'enfer. Tous les jours, il lui fallait endurer la vue de cet usurpateur, de ce fils illégitime qui se prétendait de son sang et imposait sa loi. Cette seule vision devait décupler sa haine et le maintenir en vie, en dépit du froid et des privations.

Marion éprouva la certitude que le vieillard préparait quelque chose. Il mitonnait sa vengeance, patiemment, attendant l'occasion idéale. Il ne laisserait pas une étrangère lui gâcher ce plaisir. Si par malheur on découvrait l'existence de l'amant, la rumeur irait bon train. Il ne faudrait pas longtemps aux membres du clan pour parvenir aux mêmes conclusions que l'ymagière.

« Tant que le corps est dissimulé dans le sépulcre, je serai en danger, se dit la jeune femme. Je dois m'en débarrasser avant que Rök ne le découvre. »

Elle ne se fardait pas les choses, ce serait compliqué, hasardeux. On ne transporte pas facilement un cadavre démembré à travers les corridors d'une cité sans courir le risque d'être démasquée. À tout instant, un enfant pouvait la bousculer, le « paquet » lui échapper, rouler sur le sol... Et puis on s'étonnerait de voir la sorcière française se livrer à de tels convoyages en dépit de ses gantelets. Boulba, toujours aux aguets, ne serait pas la dernière à lever les sourcils.

« Non, décida-t-elle, je ne pourrai pas le faire seule. Il me faut de l'aide, une complicité. Svénia acceptera-t-elle de courir ce risque ? »

L'espace d'une seconde, elle songea à Ragnaar. Non, c'était absurde, le vieillard n'aurait pas la force nécessaire pour remorquer le tronc d'un homme. Et puis, encore une fois, on trouverait bizarre de le découvrir au service de l'ymagière, lui qui jusqu'à présent évitait tout contact avec les gens du clan.

Ne restait que Svénia... Mais n'était-ce pas trop attendre d'elle ?

« Elle peut prendre peur, observa Marion. La faute est immense. Il n'est pas impossible qu'elle préfère courir me dénoncer à Rök. Après tout, je ne suis plus réellement indispensable maintenant que j'ai retrouvé le corps de la magicienne. »

Oui, elle devait garder cela à l'esprit. Avec l'exhumation de Wanaa, son statut s'affaiblissait.

— On dirait que tu vas t'évanouir, fit Svénia en la saisissant par le bras. C'est la bière?

— Oui, mentit Marion. Je voudrais m'étendre.

— Depuis que tu es sortie de cette crypte, tu es aussi livide que Wanaa, grogna la servante. Te décideras-tu à m'avouer ce qui te tracasse?

Les deux femmes se dégagèrent de la cohue pour gagner la chambre de glace où leur bivouac était dressé. Bjorn avait déserté les lieux, alléché par la distribution de bière et d'eau-de-vie. Marion s'assit sur sa couche. Svénia ne la quittait pas des yeux.

— Dis-moi ce qui te travaille, insista-t-elle.

— Je ne suis pas sûre que tu aimeras ce que tu vas entendre, soupira l'ymagière.

Après une dernière hésitation, elle se résolut à exposer les faits. Elle chuchotait, en prenant soin de vérifier que personne ne les épiait. Au fur et à mesure qu'elle parlait, Svénia devenait blême.

— Ce n'est pas possible! bredouilla-t-elle à plusieurs reprises, les yeux écarquillés par la stupeur.

— Si, conclut Marion. Voilà le secret sur lequel Ragnaar veille depuis toutes ces années. Aujourd'hui, il sait que je sais.

— C'est terrible, haleta la servante. Rök est un *berserkr*, s'il découvrait la vérité sur ses origines, il est probable qu'il entrerait dans une crise de folie homicide... Il nous massacrerait tous, personne ne pourrait l'arrêter. Ça pourrait le prendre en pleine nuit, et il irait d'un lit à l'autre pour trancher la gorge de chaque dormeur. Ici, dans la cité souterraine, il n'y a pas de serrures pour nous défendre. (Elle tremblait, se tordait les mains.) Tu n'as pas l'air de comprendre, reprit-elle en lançant un coup d'œil irrité à son interlocutrice. Aucun guerrier ne peut se mettre en travers du chemin d'un *berserkr*. Nous y passerions tous. Il ne faut pas que Rök découvre les restes de son père, à aucun prix.

— Je le sais bien, répliqua Marion agacée. Alors il faudra que tu m'aides à les transporter à l'extérieur, dans une hotte. Nous les cacherons dans les congères, les loups ou les ours les dévoreront.

— Ne sois pas idiote! siffla Svénia. Le corps est dur comme de la pierre, les loups s'y casseraient les dents. Non, c'est ça le problème, ils ne le mangeront pas. De plus, les chiens risquent de trouver les restes et de les ramener à l'intérieur de la cité.

Marion se mordit les lèvres. Elle n'avait pas pensé aux chiens de traîneau qu'on gardait à l'extérieur, car l'enfermement ne leur valait rien. Outre leur fâcheuse manie de compisser les couloirs, ils aboyaient des heures durant et finissaient par se mordre les uns les autres. Pour prévenir ces crises de claustrophobie, on les faisait dormir dehors, plusieurs nuits par semaine.

— S'ils nous voient jeter un paquet, ils iront fouiner, marmonna Svénia. C'est inévitable. Et s'ils dénichent un bras, une jambe... ils le ramèneront à leur maître, c'est leur instinct. Tu imagines ce qui se passera si l'un d'eux revient avec la tête du père de Rök dans la gueule?

— Alors il faudra se débrouiller pour jeter les paquets dans une crevasse, fit Marion. Là, personne n'ira les chercher.

— Ce n'est pas sûr, grommela Svénia. Il faut compter avec la curiosité des gosses. Et puis il y a les filles de Boulba; toujours sur tes talons. Si elles te surprennent en train de te débarrasser de quelque chose, elles iront fouiller, c'est certain.

— Nous prendrons les précautions nécessaires, trancha Marion.

— Plus facile à dire qu'à faire, ricana la vieille. Un corps c'est encombrant. On se demandera ce que tu transportes ainsi, roulé dans des chiffons. Les sentinelles finiront par jaser.

— Nous n'avons pas le choix, martela l'ymagière. Tu l'as dit toi-même.

— Peut-être serait-il moins risqué de tout laisser en place ? suggéra Svénia.

Marion sursauta.

— Non ! lança-t-elle. C'est impensable ! Réfléchis un peu. Pour le moment, ils sont terrifiés par Wanaa, ils n'osent pas l'approcher, mais cela ne durera pas. Ils vont se familiariser avec sa présence, bientôt elle ne les effraiera plus autant. Les gosses iront rôder aux abords du sépulcre. Il se trouvera bien un garçon plus fanfaron que les autres pour parier qu'il n'a pas peur d'aller inventorier les paniers de la magicienne. C'est ainsi que le scandale éclatera. Et puis il y a Rök, mets-toi à sa place. Il retrouve une mère dont il se souvenait à peine. Désormais, il lui rendra visite très souvent. Il s'agenouillera dans le tombeau pour se recueillir et lui demander conseil. Il la priera, la suppliera de l'inspirer. Au bout d'un moment, la curiosité sera trop forte. La tentation lui viendra d'aller soulever les couvercles des coffres, de regarder dans les jarres. Tu ne le ferais pas, toi ?

— Si, avoua Svénia.

— Tu vois, soupira Marion. On ne peut pas laisser le cadavre là où je l'ai caché. Il est trop exposé. Rök m'a demandé de nettoyer la caverne, de la débarrasser des concrétions de glace qui s'y sont formées. Je mettrai ces travaux à profit pour essayer de fragmenter le corps, de manière que nous n'ayons pas à transporter de morceaux trop volumineux. Tu seras là pour me seconder. Je prétendrai qu'en songe, la magicienne m'a dit qu'elle ne voulait pas voir d'hommes dans l'enceinte du sépulcre. Cela nous permettra d'éloigner les Vikings.

— Oui, c'est une bonne idée, murmura Svénia.

Son visage fripé indiquait qu'elle ne croyait guère en la réussite d'un tel plan.

« Maintenant, elle peut me trahir, songea Marion. Va-t-elle courir tout raconter à Rök ? »

Sans doute l'aurait-elle fait si le chef du clan n'avait pas été un *berserkr*. Mais les réactions d'un fou de guerre étaient imprévisibles. Non, elle ne prendrait pas ce risque, la révélation était trop grave.

Le silence s'installa. Recroquevillées dans la chambre de glace qu'éclairait une petite lampe à graisse, les deux femmes écoutaient les échos de la fête répercutés par la voûte des couloirs. Elles avaient conscience d'être prises au piège, complices obligées d'un crime qu'elles n'avaient pas commis. Pour survivre, il leur fallait protéger un assassin qui, en ce moment même, projetait sûrement de les tuer... La situation relevait de la folie pure.

Si Svénia s'endormit, Marion resta éveillée dans le noir, écoutant mourir les derniers braillements avinés. Quand on n'entendit plus que le clapotis des voûtes occupées à fondre, elle se mit à guetter le pas de Rök. Elle tremblait de l'entendre remonter le corridor principal en direction de la chambre mortuaire. L'hydromel allait peut-être lui donner le courage dont il avait manqué lors de l'ouverture du sépulcre.

Marion n'osait penser à ce qui se passerait s'il découvrait la vérité. En Normandie, les paysans lui avaient parlé des *berserkr,* ces monstres écumants qui descendaient des drakkars et tuaient sans rien voir, tels des somnambules. Rien ne les ralentissait. On en avait vu qui, trois flèches plantés dans la poitrine, la moitié du crâne emportée, continuaient leur besogne, massacrant les innocents comme un moissonneur couche le blé sous la lame de sa faux.

Malgré la fatigue qui l'accablait, Marion n'osait s'abandonner au sommeil. Les mots prononcés par Svénia la hantaient : « Il ira de lit en lit pour nous égorger tous, afin que personne ne soit témoin de sa honte. »

Il suffisait de si peu de choses, que Rök se penche au-dessus de la grande jarre et décide, tout à coup d'y plonger le bras...

L'épuisement la rattrapa et elle finit par s'assoupir, mais au cours de la nuit elle rêva qu'une silhouette se coulait dans les ténèbres pour se pencher au-dessus d'elle et la poignarder.

Cette ombre avait tantôt les traits de Rök, tantôt ceux de Ragnaar.

CHAPITRE VINGT-QUATRE

Le lendemain, en s'éveillant, Marion s'étonna d'être encore en vie. Elle secoua Svénia. Le moment était propice. Il fallait profiter des conséquences de la beuverie de la veille pour évacuer les premiers morceaux de la dépouille. En proie aux vapeurs de l'ivresse, les hommes gisaient çà et là, ronflant. La plupart des femmes ne valaient guère mieux. Enjambant les corps, l'ymagière et sa servante prirent le chemin du sépulcre. Marion entendait les battements de son cœur lui emplir les oreilles. Elle se retenait à grand-peine de courir. Elle avait craint de trouver Rök en méditation dans le tombeau, mais la chambre mortuaire était vide. Seule Wanaa y trônait, revêtue de son linceul de vipères pétrifiées. Svénia hésita sur le seuil. Marion lui fit signe d'entrer. Elles haletaient toutes les deux et leurs respirations fumaient dans la caverne de glace.

— Vite, chuchota l'ymagière. Là, dans la jarre.

Elle pensait qu'il convenait de se débarrasser de la tête avant tout. C'était à la fois l'objet le plus compromettant et le plus facile à dissimuler. Svénia, gagnée par la peur superstitieuse, ne se décidait pas à ramasser le macabre débris. Marion dut la bousculer. Elles roulèrent la tête dans un chiffon et la posèrent au fond du panier dont elles s'étaient munies. Sans perdre de temps, elles firent volte-face et remontèrent le tunnel principal. Les sentinelles, hagardes, maugréèrent en les voyant passer mais ne firent rien pour les intercepter. Marion et Svénia se hissèrent à l'extérieur, les mains crispées sur le panier. Elles tremblaient à l'idée de déraper sur le glacier et de laisser échapper le paquet. Les chiens s'agitèrent ; ils avaient flairé quelque chose d'inhabituel. L'un des chefs de meute grogna et claqua des mâchoires.

— Vite, supplia Marion. Il faut trouver un trou, une crevasse.

Svénia regarda par-dessus son épaule.

— On dirait que les filles de Boulba ne nous ont pas suivies, souffla-t-elle. C'est déjà ça.

Essayant de conserver leur équilibre, les deux femmes explorèrent les environs, à la recherche d'une faille assez profonde pour engloutir le contenu du panier. Elles jouèrent de malchance. Aucune lézarde ne s'ouvrait à proximité. Elles durent pousser plus loin.

— On va se demander ce que nous fichons là, grommela la vieille femme. Sans compter que quelqu'un peut très bien nous observer du haut de la montagne.

Marion tressaillit, elle n'avait pas pensé à cela.

Elle leva les yeux pour scruter la ligne de crête du couloir rocheux enserrant le glacier. Il y avait trop de brume, elle ne repéra aucune activité suspecte.

Derrière elle, les chiens aboyèrent. Le comportement des deux femmes les intriguait. En bons demi-loups à peine apprivoisés, ils étaient toujours sur le qui-vive, les crocs vite découverts.

— Là, souffla Svénia. Une crevasse.

Elles s'approchèrent de la faille. Ses parois escarpées interdisaient d'en déterminer la profondeur.

— Allez, haleta la servante. On ne peut plus attendre. Les sentinelles vont sortir voir ce qui fait hurler les chiens.

Elles renversèrent le panier, et regardèrent la tête rebondir sur les saillies de la crevasse, telle une pierre jetée du haut d'un rempart. Quand elle eut disparu, elles poussèrent un soupir de soulagement.

« Un gosse pourrait sans peine descendre dans cette faille », songea l'ymagière. Elle pensait plus particulièrement aux filles de Boulba, ces sales petites pestes toujours sur ses talons.

— Rentrons, dit Svénia en claquant des dents. Ils ne vont pas tarder à émerger des vapeurs de l'ivresse. Demain, ce sera moins facile.

Elle avait raison. Il serait beaucoup moins aisé de promener les membres et le tronc du mort sous le nez des sentinelles.

Agrippées l'une à l'autre, elles se dirigèrent vers l'entrée de la cité souterraine. Les guerriers en faction les regardèrent passer sans poser de question.

Les deux jours qui suivirent s'écoulèrent dans une extrême tension. Marion et Svénia furent constamment sur leurs gardes. Rök, qui paraissait avoir le plus grand mal à émerger de l'état de somnambulisme où l'avait plongé la cérémonie d'exhumation, ne cessait de tourner aux abords de la chambre mortuaire, ce qui rendait impossibles les transports clandestins prévus par l'ymagière.

Le corps était toujours là, dispersé dans deux coffres. Marion avait bien essayé de fragmenter les membres pour les rendre plus dissimulables, hélas, la présence de Rök l'avait vite contrainte à abandonner ces travaux dangereux.

« On ne s'en sortira jamais, pensait-elle gagnée

par le découragement. Le temps passe. Bientôt je n'aurai plus aucun prétexte pour m'attarder ici. J'aurai abattu les dernières concrétions de glace. On pourra circuler librement dans la caverne... »

Elle n'avait aucun mal à imaginer ce qui se passerait ensuite.

Le soir, elle quittait le chantier contre son gré, mais comment faire autrement ? Elle ne pouvait pas travailler la nuit sans éveiller la curiosité. Elle ne dormait plus, persuadée que Rök, au cours d'une ronde nocturne, allait découvrir le secret de la crypte. Dès que la voûte lui transmettait l'écho de ses pas, elle repoussait ses fourrures et se dressait, aux aguets. À trois reprises, elle ne put se retenir de le suivre. Par bonheur, Rök en était encore à la phase méditative. Il s'agenouillait au pied de la couche et contemplait la dépouille de sa mère sans s'intéresser au décor de la grotte.

Heureusement, le froid était tel à l'intérieur de la chambre mortuaire qu'il était impossible d'y rester immobile sans courir le risque de se retrouver changé en bloc de glace ; ce problème obligeait Rök à rebrousser chemin au bout d'un quart d'heure, et c'était tant mieux.

Le deuxième soir, alors qu'elle épiait le chef de clan, Marion entendit un bruit derrière elle. Elle se retourna assez vite pour surprendre l'une des filles de Boulba en train de s'enfuir. Elle se dépêcha d'en parler à Svénia.

— Les petites garces ! grogna la servante. Elles seront toujours dans nos pattes. Elles ont flairé quelque chose. Il va falloir essayer de les tenir éloignées de la chambre mortuaire. Ce ne sera pas facile. Si nous montons la garde sur le seuil, on s'étonnera.

Dès lors, elles tentèrent de se relayer pour épier ce qui se passait dans le couloir principal. La tâche se révéla complexe, car le tunnel décrivait des courbes sur lesquelles le regard venait buter.

Au matin du troisième jour, elles furent réveillées par des hurlements de désespoir. Marion crut sa dernière heure arrivée.

— C'est l'une des deux filles de Boulba, lui apprit Svénia qui était allée aux nouvelles. On vient de la trouver morte dans une galerie. Quelqu'un l'a poignardée.

— Qui ? balbutia l'ymagière.

— Je ne sais pas, souffla la servante. En tout cas, on l'a trucidée bien proprement. Un coup de dague porté de haut en bas, qui lui a transpercé le cœur. Boulba est en pleine crise de nerfs, elle réclame vengeance. Je pense qu'elle te soupçonne d'avoir tué la gosse.

— Ce n'est pas moi ! hoqueta Marion.

— Je sais bien, marmonna Svénia. Et comme ce n'est pas moi non plus, je me demande qui a fait ça.

Marion se leva. Bien qu'elle eût peur de rencontrer Boulba, elle se rendit dans le tunnel. La foule s'était rassemblée autour du corps de la fillette. Agenouillée, la sorcière proférait des invocations incompréhensibles qu'elle accompagnait de passes magnétiques aux arabesques menaçantes. Dès qu'elle aperçut Marion, ses yeux se chargèrent de haine.

« Elle croit que c'est moi l'assassin, songea la jeune femme. Il est vrai que je fais une coupable idéale. »

La sœur de la petite morte se tenait, raide, à côté de sa mère. Elle aussi dardait sur la sorcière française un regard accusateur. Aucune larme ne brillait sur ses joues. C'était comme si la méchanceté de sa sœur était passée en elle, la rendant deux fois plus redoutable.

Qui avait poignardé la gamine ? Et pourquoi ?

Marion en savait assez sur les mœurs des Vikings pour avoir la certitude qu'il n'y aurait pas d'enquête. La vengeance privée était un droit admis de tous, personne ne s'aviserait de le contester. En ce moment même, la plupart des gens présents pensaient probablement que Marion était à l'origine de ce meurtre, mais que ses motifs ne regardaient qu'elle, et qu'il ne fallait à aucun prix s'immiscer dans le mécanisme de vendetta qu'allait déclencher la mort de la fillette. Boulba tenterait de se venger... Si elle survivait à cette première attaque, la Française répliquerait, et ainsi de suite. Seul Rök aurait pu intervenir pour conclure un pacte de dédommagement et mettre fin à la querelle, mais avait-il encore besoin de l'ymagière ? Rien n'était moins sûr. Maintenant qu'on avait retrouvé Wanaa, la Française ne servait plus à grand-chose. Il y avait fort à parier que Rök ne lui viendrait pas en aide, non... il l'abandonnerait à Boulba, et le sang coulerait.

— Ne restons pas là, chuchota Svénia. Ça a l'air d'une provocation.

— On pense que je suis la meurtrière, n'est-ce pas ? demanda Marion.

— Bien sûr, grommela la servante. La gosse t'agaçait, et puis tout le monde est au courant pour les vipères glissées dans ton lit. Ils ne te condamnent nullement, si c'est ce que tu crains. Ce sont tes affaires, ils ne s'en mêleront pas. Ils vous laisseront vous entretuer en toute liberté, Boulba et toi.

Elles décidèrent de trouver refuge dans la

chambre mortuaire, là au moins, elles échapperaient au regard du clan. Marion prit ses outils et feignit de tailler la glace. Svénia en profita pour envelopper le bras droit de l'homme mort dans un chiffon. Elle constitua ainsi une sorte de paquet oblong qu'elle suspendit sous son manteau au moyen d'un lacet de cuir. Cela lui donnait un maintien fort peu naturel, mais il n'y avait guère d'autre façon de vider les coffres sans éveiller l'attention.

Tout à coup, Svénia poussa une exclamation étouffée.

— Là, dit-elle en désignant une tache minuscule sur le sol. Regarde !

Marion se pencha. C'était du sang. Deux gouttes que le froid intense avait transformées en perles de verre écarlates.

— C'est ici que la petite fille a été tuée, murmura l'ymagière. Devant ce coffre...

— Alors qu'elle venait de découvrir ce qui s'y cachait, compléta Svénia.

— Oui, ajouta Marion. Quelqu'un est arrivé par-derrière. Quelqu'un qui voulait l'empêcher de courir prévenir sa mère.

Les deux femmes se regardèrent. Qui, à part elles, avait intérêt à ce que la vérité demeurât cachée ?

Rök ?

« Bien sûr, songea Marion. On pourrait supposer qu'il ne tient pas à rendre publique l'infidélité de sa mère... »

La théorie était plausible mais peu convaincante.

— Si Rök avait trouvé les restes du mort, énonça Svénia, il aurait fait le rapprochement avec la posture impudique de Wanaa... et la fureur de l'humiliation l'aurait rendu fou. Il ne se serait pas contenté de supprimer la gosse, il nous aurait tués... *Tous !*

— Alors c'est Ragnaar, chuchota Marion. Il sait

ce que nous essayons de faire. Il a décidé de veiller sur nous. Pour l'heure, il est notre ange gardien. Il a dû s'embusquer dans un trou de glace à proximité de la caverne afin de monter la garde. Comme il est « invisible » personne ne fait attention à lui. Quand la petite fille est entrée dans la grotte, il a su ce qui allait arriver.

— Et il est intervenu, conclut la servante avec un hochement de tête. Oui, tu as raison. Pour le moment il est notre allié. Ensuite, il a traîné le corps dans le maître couloir. Il savait qu'on t'accuserait du crime mais que personne, à part Boulba, ne se mêlerait d'obtenir réparation. Je pense même que certains se réjouissent de la mort de la gamine. Il y a belle lurette que les filles de Boulba indisposent les membres du clan par leur espionnage continuel.

Elles décidèrent de sortir se débarrasser du bras dissimulé sous les fourrures de Svénia. Pour contenter la curiosité des sentinelles, Marion feindrait d'adresser des invocations au ciel et réciterait le *Pater Noster*. Cette gesticulation capterait l'attention des guerriers, permettant à Svénia de jeter le membre dans la crevasse.

— N'oublie pas que tu es une sorcière, énonça la vieille femme. On s'attend à n'importe quoi de la part d'une sorcière. Qu'elle chante, qu'elle danse en brandissant des fétiches. Donne-leur un spectacle qui les captivera, cela me laissera le temps de vaquer à mes petites affaires.

Elles firent comme prévu et le subterfuge fonctionna à merveille. Marion était si inquiète qu'elle n'eut pas le loisir de se sentir ridicule.

— C'est réglé, annonça enfin Svénia abrégeant les pitreries de sa maîtresse.

Au moment de redescendre au cœur du glacier, Marion chercha la lueur du soleil à travers le brouillard. Comme elle aurait voulu être loin d'ici, fuir cette terre de barbarie ! Elle supportait de moins en moins de vivre dans la peur permanente. Seule la présence de Knut l'aurait peut-être réconfortée, mais Knut avait disparu dans les montagnes. Les ennemis tapis dans la neige l'avaient sans doute égorgé ; jamais il ne reviendrait.

Pour la première fois depuis son enlèvement, la jeune femme eut la conviction déchirante qu'elle ne rentrerait pas en France. Il lui sembla que la palpitation du soleil, derrière les nuages, avait quelque chose de sanglant, comme un cœur battant au fond d'une blessure. Elle y vit un présage funeste, l'annonce de sa mort prochaine. Elle n'en doutait plus, le piège se refermait sur elle. Ses ennemis la cernaient. Svénia la tira par le poignet, la ramenant à la réalité.

— Nous avons encore du travail, dit-elle d'un ton plein de sous-entendus.

CHAPITRE VINGT-CINQ

Pourquoi Ragnaar les protégeait-il? Cette interrogation tourmentait Marion sans relâche. Quelles étaient les motivations de l'étrange vieillard?

« La peur qu'on sache qu'il a été cocufié par la grande magicienne, probablement... », se disait la jeune femme. Elle reconnaissait bien là la vanité masculine dans toute sa suffisance. Pour ne pas perdre la face, il n'avait pas hésité à poignarder une fillette.

« Il ne veut pas devenir la risée du clan, se répétait-elle. Il n'est plus rien, mais il ne veut pas devenir moins encore. »

Cette coquetterie chez une épave sans existence sociale avait quelque chose d'admirable. La morale des Vikings avait enraciné en lui l'obsession de la perte de face. Dépouillé de tout ce qui avait fait sa gloire, il s'accrochait à ce dernier lambeau de dignité. Il voulait mourir sans que sa honte soit connue, emporter son secret dans la tombe.

Un soir, n'y tenant plus, Marion décida qu'une confrontation était désormais nécessaire. Elle voulait conclure une sorte de pacte de non-agression et assurer le vieillard de son silence. Elle eut du mal à décider Svénia. La servante avait peur de Ragnaar.

— Il a tout intérêt à nous tuer, balbutia-t-elle. Il peut nous trancher la gorge sans crainte d'être inquiété. C'est ce que tu veux : le provoquer ?

— Mais non, soupira l'ymagière. Il ne s'en prendra pas à nous tant qu'il restera encore un morceau du mort dans la crypte. Il a besoin de nos bras pour finir le sale travail. Il n'a plus assez de force pour transporter les restes du cadavre à l'extérieur. En outre, ses allées et venues attireraient l'attention. On n'a pas l'habitude de le voir bouger. Cela fait des années qu'il vit terré dans un trou en mangeant des ordures.

Svénia grimaça.

— D'accord, capitula-t-elle. Mais je t'aurai prévenue. C'est un fourbe. Tu as vu ce qu'il a fait à la gosse ?

Elles remplirent un petit panier de nourriture variée et explorèrent les galeries à la recherche du vieux. Son terrier habituel était vide. Comme l'avait prévu Marion, elles le trouvèrent embusqué dans une niche, à proximité de la chambre mortuaire.

« Il monte la garde, songea l'ymagière. Si la seconde fille de Boulba, ou Boulba elle-même, tente de s'introduire dans le sépulcre, il la tuera sans une hésitation. »

Tout de suite, le vieillard fit semblant de ne pas les voir et s'obstina à regarder au travers des deux femmes comme s'il s'agissait de statues de verre.

— Dis-lui que nous savons tout, ordonna Marion. Essaye de lui faire comprendre que nous souhaitons conclure un pacte. Nous devons nous entraider, nous unir contre Rök et Boulba. Il devrait être capable de comprendre cela.

Svénia commença sa plaidoirie. Le vieux l'ignorait. Les yeux fixes, il semblait à peine vivant. Cela dura longtemps. Alors que la servante allait renoncer, Ragnaar ouvrit enfin la bouche et se mit à parler d'une voix rauque, inhumaine.

— Il dit qu'il a essayé plusieurs fois de te tuer au cours du voyage, traduisit Svénia. Il a d'abord tenté de briser les dieux de glace pour qu'on se débarrasse de toi. Ensuite, il a tiré des flèches à travers notre tente, avec l'espoir de te clouer à ton matelas pendant ton sommeil.

— C'était lui? bredouilla Marion. Je pensais qu'il s'agissait des ennemis du clan... Mais il a lui-même été blessé au cours de l'attaque, je me rappelle. Il a reçu une flèche dans l'épaule.

— Il dit qu'il s'est fait cette blessure lui-même, pour éloigner les soupçons, répondit Svénia. Pour un Viking, ce n'est rien. Juste une plaie superficielle. C'est toi qu'il visait. Il ne voulait pas que tu parviennes jusqu'ici. Il savait que Rök te demanderait de retrouver le tombeau de Wanaa... Quelque chose lui disait que tu réussirais. Il voulait empêcher cela. Il n'avait pas le choix, il devait te tuer.

— Il savait donc ce que je trouverais à l'intérieur?

— Oui, il a provoqué l'avalanche. Il voulait mettre fin aux agissements de Wanaa. La tuer avant qu'elle ne le ridiculise aux yeux du clan.

Marion hocha la tête. Ainsi, elle avait vu juste. Tout cela se réduisait à une affaire d'honneur.

— Qui était l'homme? s'enquit-elle. L'amant?

— Un guerrier d'un clan de passage, murmura Svénia au terme d'un long dialogue avec le vieillard. Wanaa s'était entichée de ce Viking, au point de l'amener à déserter sa tribu. Il campait dans la montagne, dans des conditions épouvantables, pour venir la retrouver sur le glacier, quand elle s'isolait dans la caverne de divination.

Elle s'interrompit pour écouter Ragnaar qui parlait maintenant sans reprendre respiration, de sa curieuse voix gutturale.

— Il dit que Wanaa était devenue folle à cause du venin des serpents, traduisit la servante. Son sang avait tourné. Elle avait des idées étranges, dangereuses, qui auraient conduit le clan à sa perte. Elle voyait des ennemis partout, elle attisait les haines. Elle poussait les guerriers à massacrer les clans du voisinage par pure précaution, simplement parce qu'elle les soupçonnait de nourrir de mauvaises pensées à son endroit. Il fallait l'arrêter. L'empêcher de nuire.

« Est-ce la vraie raison ? s'interrogea Marion. A-t-il réellement voulu sauver le clan ou bien était-il jaloux de l'ascendant qu'avait fini par prendre Wanaa sur la tribu ? Ne s'est-il pas senti relégué à un rang subalterne ? »

Elle ne possédait aucune des réponses aux diverses questions suscitées par le comportement du vieux chef. Savait-il lui-même ce qui l'avait poussé à tuer sa femme ? L'amour bafoué ? La jalousie ? La peur du ridicule ? Tout cela à la fois ?

— Il dit qu'il est fier d'avoir réussi à provoquer tout seul une avalanche, reprit Svénia. Ensuite, il a prétendu qu'elle avait été déclenchée par les manœuvres d'un clan ennemi... il fallait bien fournir une explication. Des gosses qui jouaient dans la montagne avaient repéré une silhouette se livrant à des travaux de sape. À cause de la distance et du masque de cuir que portait Ragnaar, ils n'avaient pas compris à qui ils avaient affaire, mais ils se sont néanmoins empressés de rapporter leurs observations aux adultes. Dès lors, il fallait fournir un coupable... inventer une rivalité. C'est comme ça qu'est née la légende de l'ennemi fantôme qui harcèle le clan depuis des années, sans jamais se lasser.

Marion leva la main, en alerte.

— Attends! coupa-t-elle. Je veux être certaine de bien comprendre... Est-il en train de nous dire que le clan n'a aucun ennemi?

Quand Svénia lui posa la question, Ragnaar opina.

— Il dit que Rök est fou, répondit Svénia. C'est un bâtard au sang vicié. Le venin des vipères est passé en lui et lui a pourri la cervelle. Il a grandi avec l'idée que sa mère avait été tuée par un adversaire sans nom, sans visage. C'est peu à peu devenu une obsession. Déjà, enfant, il passait des nuits entières à monter la garde dans la neige, dans l'espoir de surprendre des ennemis s'approchant du bivouac. Il les attendait, avec son arc, ses flèches et son coutelas. Il avait à peine six ans. Quand il est devenu chef, il a enfin disposé des moyens de donner corps à sa folie.

— *Sa folie?* releva l'ymagière.

Svénia avait blêmi. Sa voix n'était plus qu'un chuchotis. Elle questionnait Ragnaar d'un ton pressant, puis se taisait, comme si elle avait brusquement peur d'en apprendre davantage.

— Alors? lança Marion, dévorée par la curiosité.

— Il dit..., haleta la servante. Il dit que Rök a tout inventé. Jamais personne ne nous a harcelés. Aucun clan ne s'intéresse à nous. Nous ne sommes plus assez riches ni assez glorieux pour attiser les convoitises. En fait, depuis la mort de Wanaa, nous ne sommes plus rien... On nous a oubliés. Les autres sont devenus chrétiens et nous considèrent comme des attardés... des barbares qui s'accrochent à des croyances périmées. Il dit que personne ne croit plus au Walhalla, à Odin, aux Walkyries... Nous ne sommes qu'une poignée de survivants, d'obstinés, à faire comme si le temps s'était arrêté à l'époque glorieuse des Vikings et des grandes expéditions.

— Rök aurait tout inventé? répéta Marion en détachant les syllabes.

Svénia baissa les yeux.

— Oui, avoua-t-elle. Ragnaar dit qu'il a choisi de vivre dans un rêve, de refuser la réalité. Il prétend que c'est Rök lui-même qui nous attaque. La nuit, il sort de sa tente sans se faire voir, s'éloigne, puis tue les chiens ou les sentinelles. Parfois, il tire des flèches sur le campement... comme l'autre jour. Il est vif, rapide. Il profite ensuite de la confusion pour réintégrer nos rangs. Ou bien il prétend être parti en éclaireur et avoir vu fuir les ennemis par tel ou tel passage.

— Mais j'ai relevé des traces, l'autre fois, quand j'ai accompagné Knut! objecta l'ymagière. Dans la neige, au sommet de la montagne. Les empreintes de plusieurs hommes.

— Ragnaar dit que Rök les fabrique lui-même au moyen de pieds de bois qu'il cache ensuite dans une crevasse. Il l'a vu faire. Rök est le seul ennemi du clan. Il a inventé cette fable pour se donner de l'importance et maintenir la cohésion du groupe. Il a pensé que la peur de cet ennemi invisible nous souderait.

« Ce n'est pas faux, songea Marion, rêveuse. Il y a fort à parier que sans cette haine fédératrice, le clan se serait lentement défait. Il fallait que les guerriers se sentent haïs, pourchassés pour demeurer ensemble. »

— Je ne sais pas s'il faut le croire, lâcha soudain Svénia. Il est peut-être fou.

— Je ne pense pas, souffla l'ymagière. Cela expliquerait beaucoup de choses bizarres. Toi qui es avec eux depuis longtemps, as-tu vu une fois, une seule, l'un de ces guerriers fantômes qui sont censés vous traquer ?

— Non, admit la servante. Mais c'est normal. Dans une vendetta, on n'agit jamais au grand jour. On se venge en organisant des guet-apens, des pièges. On s'arrange pour n'être jamais surpris. C'est la règle. De cette manière, il n'y a pas de preuves, et votre adversaire ne peut porter plainte lors du *Ting*...

— Du quoi ?

— Du *Ting*. Le *Ting* est une sorte de conseil rassemblant plusieurs clans, lors duquel on débat des problèmes communs, des préjudices causés. Le *Ting* rend ensuite son jugement... mais il n'a pas les moyens de contraindre les gens à suivre ses décisions. Il n'y a pas de police chez les Vikings. Alors, si personne n'a été témoin de vos crimes, il est plus facile de contester l'arrêté des sages, qui, au demeurant, ne s'occupent pas d'appliquer la sentence.

Marion agita les mains pour signifier que les subtilités de ce mode de gouvernement lui échappaient.

— Demande à Ragnaar pourquoi il n'a pas tué Rök, fit soudain l'ymagière. C'est un bâtard, il le hait, pourquoi a-t-il hésité à l'assassiner ?

La servante traduisit la question. Au fond de sa niche, le vieil homme eut un faible sourire qui découvrit ses gencives édentées. Il parut rassembler ses pensées, puis se mit à parler d'une voix où perçait la tristesse.

— Il dit qu'il a essayé, dix fois, vingt fois, chuchota Svénia. Il lui aurait été facile de faire croire que le meurtre avait été commis par les « ennemis » du clan. Hélas, les dieux protègent Rök. Ils l'avertissent des dangers qui le menacent et l'en détournent. Rök a l'instinct d'un loup, il devine les complots. Il est très méfiant. Il ne dort que d'un œil et se réveille au moindre grincement. À plusieurs reprises, Ragnaar s'est dirigé, en pleine nuit, le couteau à la main vers la tente de Rök. Chaque fois, il a dû renoncer car le bâtard se réveillait en sursaut. Ragnaar dit qu'il est trop vieux, il ne peut plus prétendre lutter au corps à corps avec un jeune homme. Il a vainement attendu son heure, espérant un miracle qui ne s'est jamais produit.

— Très bien, coupa Marion. Je comprends ses problèmes, mais il faut maintenant conclure le pacte. Il doit nous aider. Nous devons sortir le corps avant que Boulba ne le découvre. C'est notre intérêt à tous.

— Il dit qu'il est d'accord, annonça Svénia. C'est pour ça qu'il a tué la deuxième fille de Boulba. Elle avait ouvert les coffres et s'apprêtait à pousser un cri d'alarme. Elle était stupide, pourrie par le mal. Trop bête pour comprendre que Rök serait aussitôt devenu fou de colère et lui aurait arraché la tête... Il dit que si Rök devient *berserkr*, rien ne pourra l'arrêter, aucun guerrier ne sera capable de l'abattre. La folie du carnage le gouvernera tout entier. C'est à cause du venin des vipères sacrées... sa mère était déjà comme ça. La folie... c'était le prix qu'elle avait dû payer pour être magicienne.

Il radotait. Lui qui n'avait pas ouvert la bouche depuis des années devenait soudain intarissable. Marion insista pour jeter les bases d'une entente.

— Il accepte, annonça Svénia. Maintenant, il ne lui servirait plus à rien de te tuer, le mal est fait. Wanaa, la grande putain, est sortie de la glace. Il dit qu'il faut se méfier de la troisième fille de Boulba. Celle-là, il pourra la tuer, ça ne pose pas de problème, mais il n'est pas certain de pouvoir affronter la sorcière. Boulba est puissante et il est trop vieux.

Il dit que le vrai danger viendra d'elle. Elle est maligne, elle a plus d'un tour dans son sac. Elle se vengera, c'est sûr. Il faudra rester sur nos gardes.

— Je ne veux pas qu'il tue la fillette, précisa Marion. Qu'il l'empêche d'entrer, c'est suffisant.

Le vieillard haussa les épaules.

— Il dit que tu es trop sensible, traduisit la servante. Qu'il ne faut pas prendre de gants avec cette engeance de sorcière. Si tu ne les tues pas, elles te tueront.

Marion n'avait pas envie d'en débattre. Il fallait mettre fin à cette discussion avant que le concert de chuchotis n'éveille l'attention d'un insomniaque. Les deux femmes s'éloignèrent, laissant Ragnaar recroquevillé dans sa niche de glace, étrange momie aux yeux brillants.

Trois jours passèrent, pendant lesquels on usa de mille ruses pour évacuer les restes du guerrier inconnu. Svénia avait imaginé de dresser une espèce d'autel sur le glacier, à proximité de la crevasse. Pour ce faire, elle avait transporté au dehors des tapis, des torchères, et d'étranges divinités que Marion avait sculptées à la hâte dans du bois tendre. Ce matériel religieux de pacotille — principalement les tapis — avait servi à dissimuler la dépouille fragmentée de l'amant de Wanaa. Pendant que Marion hurlait le *Credo* en improvisant des danses « magiques », Svénia se débarrassait des derniers débris au fond de la faille. Quand il ne resta plus rien de compromettant dans la caverne, les deux femmes poussèrent un soupir de soulagement.

« Ne nous réjouissons pas trop vite, songea Marion. Boulba n'est pas idiote. Elle doit s'interroger sur le sens de cette mascarade. D'ici à ce qu'elle vienne explorer les environs... »

Il fallait parier sur la profondeur de la crevasse. Avec un peu de chance, les restes épars du cadavre gisaient à présent cent coudées plus bas. Se faufiler dans cette lézarde présentait des risques certains car les parois en étaient affreusement lisses. Boulba aurait-elle le cœur d'y envoyer la dernière de ses trois filles ?

La chambre mortuaire à peine nettoyée, Rök s'y installa pour des méditations de plus en plus longues. Parfois, on l'entendait chuchoter. Svénia expliqua à l'ymagière qu'il s'adressait à sa mère et menait avec elle un dialogue des plus étranges, comme si la morte lui répondait, mais qu'il était seul à entendre sa voix. Marion se demanda si l'exhumation de la magicienne n'avait pas, en quelque sorte, aggravé la folie du chef viking.

— Que lui dit-il ? demanda-t-elle à la servante.

— Rien de bien réjouissant, grommela cette dernière. Il la remercie de l'avoir prévenu de la présence de ses ennemis. Il a l'air d'élaborer avec elle des plans de bataille. Il se comporte comme s'il se préparait à partir en guerre. C'est mauvais. En fait, Wanaa lui répond ce qu'il a envie d'entendre. Elle flatte ses mauvais penchants. Cela va mal se terminer, je crois que nous sommes à l'aube d'une expédition guerrière contre les clans de la montagne. Rök a décidé d'en finir avec eux une fois pour toutes. Il ne supporte plus leurs harcèlements. Il en a parlé avec les guerriers. Il leur a déclaré qu'il n'y avait plus rien à craindre maintenant que la magicienne veillait sur eux. À l'heure du combat, ils deviendront tous invincibles.

— Et toi, s'enquit Marion, qu'en penses-tu ?

— Je crois que nous ne sommes plus assez nombreux, souffla la servante. À moins d'agir par surprise, ou de les tuer pendant leur sommeil, nous serons exterminés.

Ces révélations confirmaient les pressentiments de l'ymagière. Depuis quelques jours, l'atmosphère avait changé dans l'espace confiné de la cité souterraine. La nervosité s'était emparée des hommes qui fourbissaient épées et cottes de mailles. L'inactivité pesait à ces jeunes gens ne rêvant que de s'illustrer par de hauts faits d'armes.

« Finalement, songea Marion, Rök est comme eux, un agité. Il tient un langage qui leur plaît. Il leur offre une occasion d'en découdre. Ils ne la laisseront pas passer. »

Les hommes n'aimaient pas la paix, ils s'y ennuyaient vite. La paix ne leur apporterait pas la gloire, la paix ne ferait pas d'eux des guerriers célèbres. La paix ne plaisait pas aux dieux. Odin, Thor n'appréciaient que la vaillance, la témérité... Voilà pourquoi il était important de partir en guerre au plus vite, avant d'être trop vieux, avant que l'âge ne les rende trop faibles pour soulever une épée !

Ils n'avaient qu'une idée en tête : mourir jeunes pour ne pas encourir la honte de s'être montrés trop prudents.

« Ce sont des imbéciles, songea Marion, tellement sûrs d'eux, tellement... *hommes !* »

CHAPITRE VINGT-SIX

Un soir, après le repas, Marion se sentit prise de vertige. Les choses et les visages devinrent flous, ses jambes se mirent à trembler. Elle dut s'appuyer à la muraille pour ne pas tomber. La voix de Svénia lui parvenait, lointaine, comme si la servante parlait depuis l'autre bout d'un tunnel.

— Ça ne va pas? disait-elle. Qu'as-tu? Tu es si pâle!

Un curieux engourdissement se répandait dans les membres de la jeune femme, s'épanouissait dans son ventre, irradiait dans sa poitrine. C'était brûlant et glacé tout à la fois; ça paralysait ses mains, sa langue, son cerveau...

« Mon Dieu! pensa-t-elle soudain. Ça y est! On m'a empoisonnée! »

Elle tomba sur le sol, raide, incapable d'esquisser un geste pour amortir sa chute. Elle était comme une statue vivante. Paralysée, taillée dans une chair aussi insensible que le bois. Seule sa conscience palpitait encore, petit noyau s'obstinant à vivre au milieu d'une masse inerte.

« Est-ce la mort? se demanda-t-elle. Qui m'a tuée? Qui a empoisonné ma nourriture? »

Boulba, bien sûr... ou sa fille. L'une ou l'autre

avait mis à profit la distraction de la servante pour glisser quelque chose dans l'écuelle de la sorcière française. Svénia était trop brouillon, toujours à faire mille choses en même temps, cela n'avait pas présenté de difficulté majeure : un geste, comme un tour de passe-passe... *et la poudre qui se mélange au brouet.*

La Française mangeait toujours la première, la vieille Svénia lui donnant la becquée à cause des gantelets de fer. Son écuelle était facile à identifier.

Un geste oui... au passage. Et la vieille qui ne voit rien, toujours à bougonner dans ses marmites. Un geste, et la mort s'envole... se pose sur le ragoût.

Marion ne pouvait même pas battre des paupières. Son corps ne lui appartenait plus. Il était devenu quelque chose... d'extérieur, un objet n'entretenant aucun rapport avec elle.

On l'avait étendue sur sa couche. Svénia s'agitait, criait. Bjorn se pencha, examinant la malade. La grimace qu'il fit était de mauvais augure.

Marion avait perdu la faculté d'apprécier l'écoulement du temps. Les images se chevauchaient, sans qu'elle puisse déterminer si quelques minutes — ou au contraire plusieurs heures — les séparaient. Elle était allongée sur la couverture de fourrure comme un arbre abattu repose sur un lit de feuilles mortes. Des visages se pressaient autour d'elle. Un rassemblement, une foule. Les membres du clan, curieux, l'air entendu. Elle pouvait lire sur les traits des commères leurs pensées secrètes : « Après l'assassinat de la gosse, il fallait s'y attendre... La vendetta continue. C'est au tour de Boulba de frapper. Normal. Chacun son tour, c'est la loi de la vengeance. »

Marion essayait de lutter, en vain. Elle n'avait aucune prise sur le monde réel.

« Je suis déjà un fantôme, se dit-elle. Une fumée qui pense. »

Rök vint, il se pencha sur elle et prononça quelques mots. Marion savait assez de langue norroise pour comprendre qu'il demandait les conseils de Boulba. C'était un comble ! On allait la faire « soigner » par celle-là même qui l'avait empoisonnée !

Boulba mit une éternité à se présenter. Elle apparut, hautaine, les yeux réduits à deux fentes. Quand elle se baissa pour l'ausculter, Marion put voir qu'elle crispait les lèvres pour dissimuler son sourire. Elle dit simplement : « Elle est morte... » en détachant les syllabes afin que l'ymagière puisse saisir le sens des mots. Svénia fondit en larmes, Bjorn se laissa tomber dans un coin.

Elle est morte... Déjà, la foule refluait. Les gens se désintéressaient de ce drame minuscule. Rök improvisa un rapide discours dans lequel il était question de *grandes funérailles* et de *drakkar*.

« Il s'en fiche, pensa Marion. De toute manière, il n'avait plus besoin de moi, je l'embarrassais. Il va organiser une belle cérémonie et me planter quelque part dans la neige. Après quoi, il se dépêchera de m'oublier. »

Pendant tout ce temps, le regard de Boulba demeurait fixé sur elle. Marion prenait conscience de ce qui l'attendait. La drogue ne la tuerait pas, en la paralysant, elle donnerait à ses membres une rigidité cadavérique dont les effets dureraient assez longtemps pour qu'on l'enterre vivante ! C'était cela la vengeance de Boulba... Forcer son ennemie à assister à son propre enterrement. Marion ne pourrait ni se débattre ni crier. Elle se verrait descendre au tombeau sans pouvoir protester. C'était atroce et injuste, car elle n'était pour rien dans la mort de la fillette.

— Elle est morte, répéta Boulba. Il faut se débarrasser d'elle rapidement car les Français pourrissent vite.

Les mots s'enfoncèrent telles des flèches dans l'esprit de Marion sans qu'elle puisse déterminer s'ils avaient été prononcés ou si elle les avait imaginés.

Boulba se retira. À présent les femmes allaient venir pour la toilette funèbre.

« Elles s'apercevront peut-être que je suis encore en vie ! pensa Marion. Mon cœur doit battre, c'est obligatoire... Elles le sentiront dès qu'elles poseront les mains sur moi. »

Cette idée lui redonna espoir. Même si sa peau était glacée, même si ses membres présentaient la rigidité du trépas, son cœur continuait à palpiter dans son sein. Les pleureuses ne manqueraient pas de s'en rendre compte, elles donneraient l'alerte, elles...

Un long moment s'écoula, du moins elle en eut l'illusion, mais qu'en était-il vraiment ?

Elle s'appliquait à remuer sans jamais y parvenir. Elle tentait de se concentrer sur ses doigts ou ses orteils, et de les faire bouger... mais où étaient ses doigts ? Où étaient ses orteils ? Elle n'en avait aucune idée. Elle hésitait, âme errante au carrefour de plusieurs chemins dont chacun menait à une contrée inconnue. Elle n'habitait plus son corps, il avait l'apparence d'une énorme armure coulée dans un métal inamovible. Une armure conçue pour l'un de ces géants dont les fables vikings faisaient si grande consommation.

Son instinct lui soufflait qu'elle se trompait à propos de l'enterrement... Les Vikings ne procédaient pas ainsi. Pas pour les chefs, or on lui réservait une cérémonie grandiose... Que lui avait donc dit Svénia à ce sujet ? Elle essayait désespérément de s'en souvenir. On ne se contentait pas de creuser un trou, on... On...

Quoi, déjà ?

Elle ne savait plus, mais c'était terrible...

Et où était Svénia, en ce moment ? Pourquoi ne s'occupait-elle pas de la « dépouille » de sa maîtresse ?

Les femmes arrivèrent pour la toilette. Elles chuchotaient entre elles en jetant de fréquents coups d'œil par-dessus leur épaule. Elles avaient peur de Boulba. Elles dénudèrent Marion, en évitant d'effleurer ses gantelets, et frottèrent sa peau avec des parfums.

« Vous voyez bien que je suis vivante ! avait envie de hurler l'ymagière, vous ne pouvez plus l'ignorer ! Mon cœur bat ! Cela doit se sentir... Pourquoi ne l'entendez-vous pas ? »

Les commères s'entre-regardaient au-dessus du cadavre de la Française. Elles ne cancanaient plus. Il y eut un moment de flottement pendant lequel Marion crut qu'elle avait gagné la partie, puis les femmes s'ébrouèrent et reprirent leur besogne, comme si rien ne s'était passé.

« Elles ont deviné que j'étais vivante, pensa Marion. Elles ont dû le sentir sous leurs doigts, mais elles ne veulent pas s'en mêler ! C'est la vengeance de Boulba, bien sûr ! Elles n'interféreront pas dans ses manigances. Elles ont peur de la sorcière. Elles ne feront rien pour la contrarier. Je suis fichue ! »

La panique la gagna.

« Si je pouvais pleurer, elles ne pourraient pas faire semblant d'ignorer mes larmes, tout de même ! »

Était-ce seulement vrai ?

Quand elle fut ointe d'huile parfumée, on la vêtit d'une robe neuve, puis l'on tressa sa chevelure. Les doigts des matrones jouaient dans ses mèches sans qu'elle perçoive le moindre tiraillement. Elle avait de la difficulté à maintenir son attention. À plusieurs reprises, elle eut la certitude de s'être assoupie deux ou trois secondes, alors qu'en vérité plusieurs heures s'étaient écoulées.

Enfin, on l'abandonna dans la chambre de glace, sans chauffage, un lumignon brûlant à la tête du lit. Elle réalisa avec inquiétude qu'elle était étendue sur les fourrures, vêtue d'une simple robe de coton et de ses moufles de fer. Si l'attente s'éternisait, elle mourrait de froid.

Qu'avait donc raconté Svénia à propos des funérailles vikings ?

« À l'époque, cela m'ennuyait, se rappela Marion. Je l'écoutais d'une oreille. Comme je le regrette... »

On bâtissait un navire fictif. Un simulacre de drakkar avec des planches légères. Une sorte de décor funèbre figurant le vaisseau sur lequel le défunt allait s'embarquer pour l'Asgard, le domaine des dieux nordiques. Ensuite...

Ensuite, quoi ?

« Il me semble que les choses se gâtaient, songea la jeune femme. La cérémonie prenait un tour déplaisant... »

Ses pensées lui échappaient. Elle avait la sensation d'essayer d'attraper une boule d'ivoire poli avec des mains enduites de graisse.

Ensuite...

Ragnaar vint lui rendre visite. Peut-être était-ce la

nuit ? Il la regarda longuement. Lui toucha la caro-
tide du bout du doigt. Il dut comprendre qu'elle était
vivante car il étendit une fourrure sur son corps pour
la protéger du froid, cependant il ne fit rien pour
donner l'alerte. Qui l'aurait écouté, lui, « l'invisible », le paria ?

CHAPITRE VINGT-SEPT

Marion reprit conscience quand on la souleva pour l'emporter. Elle crut qu'elle allait pouvoir crier. Hélas, aucun son ne sortit de sa bouche. Son corps lui parut moins insensible que la veille, toutefois elle n'en avait pas récupéré le contrôle. Elle sentit vaguement les mains des commères sur ses membres tandis qu'on l'installait sur une litière. L'efficacité de la potion diminuait peu à peu. Pas assez vite à son goût.

On l'emmena à travers les couloirs. La voûte de glace défilait sous ses yeux. Un chant étrange accompagnait sa translation.

La lumière du jour lui fit mal. La drogue lui rendait les rayonnements insupportables. Elle aurait voulu se cacher les yeux sous ses paumes. C'était impossible. Une procession s'était formée qui serpentait sur le glacier. On se dirigeait vers la montagne. Allongée sur la litière que les femmes portaient sur leurs épaules, elle ne pouvait tourner la tête et voir ce qui se passait derrière elle. Les sons s'étiraient dans son crâne, prenant la forme de longs hululements. C'était comme si le clan tout entier n'était plus constitué que de loups hurlant à la lune.

On quitta la surface du glacier pour gravir le flanc

251

de la montagne. Marion se sentait dans un état de grande faiblesse. Elle ne savait à quand remontait son dernier repas. Combien de jours s'étaient donc écoulés depuis l'annonce officielle de son décès ?

« Où est Svénia ? se demanda-t-elle. Pourquoi ne vient-elle pas à mon secours ? »

Rök allait en tête, portant ses plus belles armes. Il s'était mis en frais pour la cérémonie. La mort de la sorcière française le débarrassait d'un poids inutile. Il n'aurait su que faire de cette fille indocile dont les hommes avaient peur. Et puis Boulba était des leurs, elle connaissait les coutumes, le clan avait confiance en elle. Il devinait qu'une querelle avait opposé les deux femmes, Boulba s'était montrée plus habile — preuve qu'elle était la meilleure ! — il n'y avait rien à dire.

Marion espérait que les porteuses feraient un faux pas, renversant la litière. Une chute dans la neige la sortirait peut-être de son engourdissement ? Si elle réussissait à pousser un cri, un seul, on suspendrait le rituel...

« Ce n'est même pas certain, songea-t-elle, ces garces seraient bien fichues de chanter plus fort pour couvrir mes gémissements. »

Finalement, sa mort arrangeait tout le monde, on ne tenait pas outre mesure à la voir revenir parmi les vivants.

La silhouette du drakkar funéraire se dessina au sommet. Ce n'était qu'un simulacre de bateau, un décor de planches légères, mais, à travers le brouillard de la drogue, Marion se crut ramenée en arrière, devant l'arche de Noé bâtie par Noctus, l'ange aux ailes coupées [1].

1. Voir *Pèlerins des ténèbres,* du même auteur dans la même collection.

Que lui avait donc expliqué Svénia? Seuls les chefs de clan avaient droit à un véritable navire; pour les autres, on se contentait le plus souvent de creuser un trou dans le sol en lui donnant la forme d'une barque, ou bien l'on fabriquait un canot symbolique à l'aide de branchages tressés. La construction d'un drakkar réclamait trop de travail pour qu'on se résolve à détruire un bateau neuf à chaque nouveau décès.

« *Ils y mettent le feu...*, se rappela soudain Marion. Oui! Une fois le mort déposé sur le pont, ils se servent de l'embarcation comme d'un bûcher et l'enflamment. »

Dieu! Ils allaient la brûler. Elle se regarderait mourir. Probablement ne souffrirait-elle même pas. Le corps plus insensible qu'une bûche de chêne, elle verrait sa peau noircir, se couvrir de cloques, ses membres charbonner sans éprouver la moindre douleur!

La terreur lui vrilla l'esprit sans parvenir toutefois à ranimer sa chair.

Les femmes empruntèrent une passerelle pour grimper sur le pont. Tout avait été fait dans les règles. Le vaisseau funèbre avait l'apparence d'un vrai navire.

« À cette différence près que sa coque doit être remplie de fagots enduits de poix, se dit la jeune femme. Dès qu'on y jettera une torche, la carcasse s'embrasera. »

Les porteuses déposèrent la litière sur le pont. Pour la première fois depuis qu'elle était sous l'influence du poison, Marion perçut un léger choc en heurtant les planches. L'écho était lointain, mais il prouvait que l'engourdissement régressait.

« C'est pour cette raison que Boulba tente d'accélérer la cérémonie, pensa-t-elle en regardant la sorcière qui s'agitait au milieu de la foule. Elle serait bien embêtée si je me dressais soudain sur la litière ! »

Reprenant espoir, elle se concentra sur ses mains, ses pieds. Elle aurait voulu les sentir fourmiller, grouiller d'une vie douloureuse comme au sortir de l'ankylose. Hélas, rien ne se produisait.

Du coin de l'œil, elle essayait de suivre ce qui se passait autour du navire. Elle ne comprenait pas un traître mot aux déclamations de Boulba. Le vent s'était levé, coupant, et tout le monde semblait pressé d'en finir.

Deux femmes amenèrent Svénia qui titubait, l'air hagard, vêtue d'une robe de cérémonie. Alors, Marion se rappela qu'il était d'usage de sacrifier un familier du défunt...

La maîtresse du rituel faisait office de bourreau et tranchait la gorge de l'épouse ou de la concubine du mort. Quand celui-ci n'avait pas pris femme, on se contentait d'une servante, d'une esclave. Ces victimes étaient censées s'être portées volontaires. En réalité, on les assommait de drogue pour les tenir dans un état proche du somnambulisme. C'était manifestement le cas pour Svénia dont les paupières se fermaient toutes seules, et qui se serait effondrée si deux matrones ne l'avaient pas soutenue.

Sur un geste de Boulba, les chants reprirent. Marion comprit qu'ils étaient destinés à couvrir les éventuels gémissements de la sacrifiée. Depuis un moment, la sorcière donnait des signes d'agitation et regardait de plus en plus souvent en direction du drakkar. Elle n'ignorait pas que les effets de la potion allaient se dissiper et qu'il était urgent d'incendier le navire. Si la Française se réveillait, elle aurait l'air de revenir du royaume des ombres et son pouvoir s'en trouverait fortifié. Après cet exploit, son ascendant sur le clan serait tel qu'elle pourrait réclamer n'importe quoi. La tête de Boulba, par exemple...

On fit grimper Svénia sur une estrade. La coutume exigeait qu'elle déclarât voir s'ouvrir les portes d'Asgard, le royaume des dieux, et scintiller Bifrost, l'arc-en-ciel magique menant au palais d'Odin. On dut secouer la servante pour qu'elle prononçât les paroles rituelles car elle était en train de s'endormir.

Marion aurait voulu hurler. Au cours des semaines écoulées, elle avait fini par s'attacher à cette vieille bique, à la fois servante et mère maquerelle, toujours à l'affût d'une manœuvre susceptible d'accroître le prestige de sa protégée. Souvent agacée par ces complots minuscules visant à faire d'elle une demi-putain, l'ymagière n'en éprouvait pas moins une certaine tendresse pour l'esclave française qui avait oublié sa terre natale. « Elle est l'image même de ce que je pourrais bien devenir dans quelques années... », avait-elle plus d'une fois pensé en regardant Svénia s'agiter au-dessus de ses marmites.

Maintenant, les matrones poussaient la servante en direction du bateau funéraire. Boulba les arrêta pour prendre le relais. Elle tenait un coutelas dans la main droite. Passant un bras autour de la taille de Svénia, elle la soutint pour traverser la passerelle. Marion luttait contre la paralysie. Elle aurait voulu se dresser et sauter à la gorge de la sorcière. Lui arracher le couteau et la pousser par-dessus bord... Non, c'était trop injuste ! Boulba ne pouvait pas gagner ! Il allait se produire quelque chose, il...

À peine sur le pont, Svénia tomba à genoux, incapable de tenir plus longtemps sur ses jambes.

Boulba se tourna vers Marion et prononça quelques mots en ricanant.

« Elle triomphe, constata l'ymagière. Elle a réussi à m'éliminer. »

D'un geste rapide, la sorcière frappa Svénia. La lame décrivit un bref éclair avant de s'enfoncer dans la gorge de la vieille femme. Marion poussa un cri muet... mais resta inerte. Svénia tomba en avant; la robe rougie de sang jusqu'à la taille. Elle n'avait même pas gémi. Le choc de sa tête heurtant le pont courut le long des planches et éveilla un écho vague sous les reins de l'ymagière.

Avait-elle encore une chance de récupérer sa mobilité avant l'embrasement du vaisseau? Il lui suffirait de s'asseoir... de s'agenouiller, et l'on arrêterait la cérémonie... Mais il fallait le faire maintenant, avant que la fumée ne la dissimule aux yeux des spectateurs.

Boulba lui tourna le dos et descendit la passerelle d'un pas rapide. Elle avait vu remuer la Française. Il était nécessaire d'aller très vite. Elle arracha la torche fichée au sommet d'un poteau et courut tout autour du navire pour enflammer les fagots entassés sous la coque. C'étaient des brindilles sèches, elle y avait veillé. Le bateau s'embraserait d'un coup, dans un grand craquement, et tout serait dit.

Beaucoup regrettaient déjà la perte de ce bon bois, de ces planches si précieuses ici, dans cette région montagneuse dépourvue d'arbres. On maudissait secrètement Rök d'avoir voulu offrir à la Française des funérailles de chef. Le clan ne pouvait se permettre de dilapider ses réserves. Rök ne semblait pas se rendre compte que la tribu s'appauvrissait d'une année sur l'autre. Les expéditions sur les côtes étrangères ne rapportaient plus rien. Aujourd'hui, il était moins facile de surprendre l'ennemi. Soit il était

puissamment armé, soit il n'y avait rien à voler...
Les campagnes des trois dernières années s'étaient
soldées par des échecs. Et...

Tandis que les Vikings ruminaient leurs rancœurs,
la coque du drakkar commençait à fumer. Les
flammes s'élevaient en crépitant, dévorant avec un
bel appétit ce bateau de carnaval. Le dragon de la
proue n'était plus qu'une torche. On avait l'illusion
qu'à force de cracher le feu, la bête de légende avait
fini par s'incendier elle-même, victime de son pouvoir néfaste.

Marion ne percevait pas les effets de la chaleur.

« Je vais cuire sans m'en rendre compte ! » se dit-
elle en essayant de distinguer les extrémités de son
corps. C'était horrible ! Ses pieds flambaient peut-
être...

« Je vais me voir tomber en cendres ! » pensa-
t-elle tandis qu'elle essayait vainement de tourner la
tête. Elle ne pouvait plus compter que sur sa vue et
son ouïe, ses autres sens l'avaient abandonnée. Elle
ne percevait même pas l'odeur âcre de la fumée. La
perspective de rester consciente pendant que son
corps se carboniserait l'effrayait plus que tout. La
souffrance ne lui accorderait pas le privilège de
s'évanouir, elle serait condamnée à se regarder brûler jusqu'au bout... jusqu'à ce que le feu entre dans
sa gorge, dans ses poumons, et commence à la rôtir
de l'intérieur.

Où étaient les flammes ? Encore éloignées ou
toutes proches ?

Elle se prit à espérer que la fumée l'empêcherait
de respirer. Oui, avec un peu de chance, elle serait
asphyxiée par les émanations du bûcher...

Elle ne voyait plus rien car des larmes d'irritation
lui embuaient les yeux. Un rideau noir, fuligineux,

enveloppait le vaisseau sur tribord et bâbord, de la poupe à la proue. Bientôt les flammes mangeraient le pont...

De vagues fourmillements parcouraient ses jambes, ses bras, sans qu'elle puisse déterminer s'ils provenaient d'un réveil de ses sensations ou de la dévoration des flammes.

« Je suis en train de cuire, songea-t-elle avec horreur. Ce que je sens, c'est ma chair qui grésille, mon sang qui bouillonne... Oh! Mon Dieu! Je suis en train de fricasser dans mon jus comme un quartier de bœuf. »

Elle appela l'évanouissement de toutes ses forces, mais la délivrance ne daigna pas se manifester.

De grandes lueurs l'encerclaient, mouvantes, jaunes, rouges. Elles produisaient des craquements épouvantables. On eût dit que tous les arbres d'une forêt étaient en train de se rompre ou d'éclater.

« C'est la fin, se dit Marion. Maintenant il n'y a plus d'espoir... »

À la seconde où cette pensée l'accablait, le pont céda sous ses reins et elle tomba dans un trou noir. Elle hurla car elle se voyait déjà sombrer au cœur du brasier; à sa grande surprise on n'avait pas entassé de fagots au creux de la coque. Tout autour d'elle, les flancs du vaisseau brûlaient, mais le centre du navire factice n'était qu'un amas de boue. Le feu, en faisant fondre la neige, avait donné naissance à une espèce de marécage dans lequel Marion s'abîma.

« Après avoir échappé au feu je vais me noyer! » pensa la jeune femme. Elle eut envie de rire, d'un rire désespéré.

L'évanouissement vint enfin et elle s'y abandonna avec délice.

CHAPITRE VINGT-HUIT

Quand elle recouvra ses esprits, il faisait noir. Elle eut beau écarquiller les yeux, elle ne vit rien. Les débris de la coque s'étaient affaissés, formant un toit au-dessus de la mare boueuse où elle baignait. La chaleur qui se dégageait encore des planches carbonisées, des tisons, avait empêché l'eau de geler. Elle voulut bouger, se dégager du marécage de neige fondue ; son corps refusa de lui obéir. Elle était toujours paralysée.

« Une fois les ruines refroidies, songea-t-elle, la mare va se solidifier et je me retrouverai coincée dans cet étau, comme Wanaa. Après avoir failli griller, je vais mourir de froid. »

Où étaient les autres ? À n'en pas douter, ils avaient regagné la cité souterraine.

« Comment me débrouiller si je parviens à bouger avant d'être prise dans la glace ? se demanda Marion. Je n'ai ni vêtement ni abri. Il me sera impossible de survivre dans ces conditions. »

Rejoindre le clan ? Non, il n'en était pas question. Boulba s'empresserait d'imaginer une nouvelle manière de l'assassiner.

« Il me faudrait en profiter pour essayer de redescendre dans la vallée, se dit-elle. En bas c'est le printemps, il sera plus facile de vivoter en volant des fruits. »

Toutefois elle ne nourrissait guère d'illusions. Elle serait seule, femme et étrangère, en un pays dont elle connaissait fort mal la langue. Elle serait vite capturée, réduite en esclavage, et cela dans des conditions beaucoup moins privilégiées que celles dont elle avait bénéficié chez Rök. Rök avait vu en elle une sorcière, une créature hors du commun, les autres la traiteraient en souillon tout juste bonne à trousser dans un coin de grange.

Elle fut de nouveau assaillie par la certitude qu'elle ne reverrait jamais la France. Peut-être valait-il mieux qu'elle meure ici, dans son cercueil de glace, à l'imitation de la grande magicienne ?

Elle en était là de ses réflexions quand un rai de lumière l'éblouit. Quelqu'un était en train de déplacer le toit de planches carbonisées, creusant un passage au centre des débris. Un visage apparut.

Celui de Ragnaar.

Le vieillard se glissa dans l'ouverture. Il agissait avec lenteur, prenant le temps de recouvrer ses forces et son souffle entre deux actions. Il se pencha sur Marion, la saisit sous les aisselles et la sortit de la mare de neige fondue. Profitant de la chaleur relative qui régnait dans l'abri, il lui arracha sa robe pour lui sécher la peau avec un chiffon roulé en boule. Il la manipulait comme s'il s'agissait d'étriller une jument crottée. Il enveloppa ensuite la jeune femme dans son propre manteau de loup et entreprit de la traîner au-dehors.

Cela prit longtemps car il n'avait pas la force de la prendre dans ses bras et devait se contenter de la remorquer tel un paquet.

Bien que paralysée, Marion commençait à recevoir des informations tactiles. Ses pieds nus percevaient le contact de la neige, ses narines s'emplissaient d'une odeur de suie.

Ragnaar l'emmena dans une caverne basse où il avait allumé un feu. Marion vit qu'il y avait transporté ses vêtements, ses bottes, sa cape, tout ce qu'il avait pu récupérer dans le paquetage de la pauvre Svénia.

Elle voulut le remercier mais ne parvint qu'à pousser un vagissement. Le vieux lui fit signe de se tenir tranquille et entassa sur elle de nouvelles fourrures.

Marion finit par s'endormir.

Quand elle s'éveilla, elle pouvait bouger bras et jambes. Des zones d'engourdissement subsistaient, çà et là, mais dans l'ensemble son corps lui avait été restitué.

Aidée par Ragnaar, elle avala de la soupe bouillante, puis le vieux glissa des lanières de hareng fumé entre ses dents. Elle se sentit mieux. Des élancements la parcouraient, comme si on la piquait avec une aiguille invisible. C'était plutôt bon signe.

Le vieillard, au moyen de gestes et de dessins tracés dans la neige, lui expliqua comment il avait profité de la nuit précédant la cérémonie pour affaiblir les planches du pont et ôter les fagots bourrant la coque. Il avait ensuite creusé un trou à la verticale de l'endroit où l'on déposerait Marion le lendemain. Enfin, il avait amassé des blocs de neige et de glace entre les flancs du faux navire. L'incendie avait provoqué la fonte de cette cargaison clandestine, et le trou s'était rempli, se changeant en mare.

Il riait en mimant les différentes étapes de sa ruse, heureux de prouver qu'il était encore un bon chef de guerre. Marion le reconnut : il s'était montré habile.

Elle lui devait la vie ; sans son intervention elle aurait péri dans l'embrasement du vaisseau.

Ragnaar insista sur le fait que ces travaux lui avaient demandé beaucoup de peine, en raison de son âge avancé. De plus, ayant sauvé Marion, il estimait qu'à partir d'aujourd'hui, elle lui appartenait, corps et âme.

— Comme si j'étais ton père, conclut-il avec un hochement de tête satisfait.

Or, chez les *lochlannach*, tout père avait droit de vie et de mort sur ses enfants. C'était bien connu.

Le lendemain, elle put se lever. Par gestes, Ragnaar lui fit comprendre qu'elle ne devait pas se faire voir des sentinelles embusquées sur le glacier, en contrebas, à l'entrée de la cité souterraine. Marion passa outre, elle tenait à récupérer la dépouille de Svénia. Elle le dit au vieux chef au moyen du vocabulaire que lui avait enseigné la servante. Ragnaar haussa les épaules, signifiant par là que ce souhait témoignait d'une inutile sensiblerie. Comme l'ymagière se montrait malhabile, il l'aida à retourner les planches, puis il dégagea ce qui restait du corps : une statue noirâtre, ratatinée, de la taille d'un enfant.

Marion ne put retenir ses larmes, ce qui eut le don d'exaspérer le vieillard.

« Il a raison, se dit la jeune femme, je me laisse emporter. Svénia n'avait aucune affection pour moi, elle avait intérêt à ce que je survive, c'est très différent. »

Ragnaar ramassa une grosse pierre et entreprit de broyer la dépouille carbonisée. Marion crut tout d'abord qu'il voulait la réduire en cendres pour la placer dans une urne funéraire, mais les intentions du vieillard se révélèrent plus terre à terre. Dès qu'il eut fragmenté le corps calciné, il plongea la main au milieu des débris et se mit à fouiller, émiettant les restes comme il l'aurait fait d'une bûche consumée à cœur. Il finit par trouver ce qu'il cherchait : la clef des gantelets. Il la nettoya avec une poignée de neige.

La jeune femme tendit vers lui les moufles de fer, persuadée qu'il allait l'en libérer, mais Ragnaar glissa la clef dans l'escarcelle de cuir qui pendait à sa ceinture. Ensuite, une expression de ruse sur le visage, il se lança dans une explication complexe à base de pantomime. Il ne faisait pas de phrases mais égrenait des mots simples, détachés les uns des autres, dans l'espoir que la Française comprendrait ses intentions.

Et Marion finit par deviner où il voulait en venir.

« Suis-je sotte ! Il ne m'a pas sauvée par pure bonté d'âme. Il n'a rien d'un ange gardien désintéressé. Il avait une idée derrière la tête, depuis le début. Il veut se servir de moi pour assouvir sa vengeance. »

Effectivement, Ragnaar comptait sur les mains « magiques » de la sorcière française pour détruire Rök. Il désirait qu'elle s'approche du bâtard et pose ses paumes dénudées sur la peau de l'usurpateur... *Alors Rök s'embraserait.* Et Ragnaar serait là pour le regarder brûler. Il y avait si longtemps qu'il attendait ce moment !

Rök anéanti, Ragnaar prendrait sa place. Il ferait trancher la tête de Boulba et régnerait sur le clan en s'appuyant sur la magie de Marion. C'était un plan de fou, mais l'ymagière ne pouvait le critiquer. Elle observa le vieillard ricanant. Il se réjouissait par avance du mauvais tour qu'il venait d'imaginer et son visage simiesque se plissait de manière déplaisante à l'idée de la déconfiture de Rök, le bâtard tant haï.

« Je ne peux pas lui avouer que je n'ai aucun pouvoir, pensa la jeune femme. Il serait bien capable de me tuer. »

Elle chercha à gagner du temps. Sa survie dépendait du potentiel destructeur que Ragnaar plaçait en elle. Il fallait le conforter dans cette idée.

Puisant dans son maigre vocabulaire, Marion le félicita pour son plan mais fit valoir qu'elle était faible et devait reconstituer ses forces avant de passer à l'action. Ragnaar parut déçu, toutefois — il l'admit sans mal — l'ymagière n'était pas au mieux de sa forme, et il veillerait à lui apporter le réconfort dont elle avait besoin.

La jeune femme poussa un soupir de soulagement. Elle avait gagné un sursis.

Elle s'allongea, simulant une faiblesse qu'elle n'était d'ailleurs pas loin d'éprouver. Ragnaar reprit son soliloque sans se soucier de savoir si on l'écoutait. Ses mains décharnées griffaient l'air et il ponctuait son monologue de petits ricanements secs empreints de méchanceté.

« C'est la vengeance qui l'a maintenu en vie, songea Marion. Pendant toutes ces années il n'a fait que guetter le moment où il pourrait enfin frapper l'usurpateur. »

Aujourd'hui, il s'imaginait avoir trouvé le moyen de parvenir à ses fins. Son regard se perdait en rêveries mauvaises, ressassées jusqu'à l'hypnose, dans lesquelles il se représentait avec complaisance la fin de Rök, dévoré par les flammes. C'était simple : il suffisait de libérer la Française de ses gantelets et de descendre dans la cité souterraine. La femme ouvrirait la marche, ses mains nues brandies devant elle, et tous s'écarteraient, terrifiés à l'idée d'être seulement effleurés par ces doigts... Et lui, Ragnaar, l'invisible, le sans-abri nourri de rognures, se coulerait dans son sillage pour rétablir la justice et reprendre la place qui lui était due. Les quelques années qui lui restaient à vivre le rembourseraient des humiliations subies. Par-dessus tout, il détruirait le corps de Wanaa... Oui, il ferait dégeler son cadavre près d'un bon feu, puis débiterait la dépouille en quartiers. Enfin, il jetterait ces fragments aux chiens de traîneaux, pour qu'ils s'en repaissent et fassent disparaître jusqu'à la dernière miette de la grande magicienne. Alors, seulement, sa vengeance serait complète.

Il attendait ce moment depuis si longtemps que ses membres en tremblaient.

Des larmes de bonheur roulèrent sur ses joues ridées. Elles gelèrent avant d'avoir pu se perdre dans les poils de sa barbe.

CHAPITRE VINGT-NEUF

Vers le milieu de la journée, la neige se mit à craquer. Quelqu'un approchait.

Marion se recroquevilla au fond de la niche de pierre, soudain persuadée que Boulba venait récupérer les débris de son cadavre pour les réduire en poudre et en faire la matière première d'une quelconque préparation démoniaque.

Les crissements devinrent plus précis. Des voix masculines les accompagnaient. Marion se redressa. Elle venait de reconnaître le timbre si particulier de Knut! *Il n'était donc pas mort!* Elle supposa que la fumée du bûcher l'avait alerté et poussé à revenir. Elle jaillit de la caverne et se retint à grand-peine de lui sauter au cou. Dieu! Comme elle était contente de le revoir!

L'expression de joie qui se peignit sur les traits du garçon lorsqu'il découvrit Marion au seuil de la grotte remplit la jeune femme de bonheur. Knut était hirsute, crasseux. Sa barbe avait poussé, mais l'ymagière le trouva plus séduisant que jamais. Deux autres guerriers l'accompagnaient. L'un d'eux était blessé à la tête. Bjorn fermait le cortège. Marion se demanda ce que l'ancien sculpteur faisait ici. Le premier mouvement de Knut fut de se précipiter vers

Marion, la présence des autres freina son élan et il se contenta d'ébaucher un geste dans sa direction. Tous se mirent à vociférer en même temps. Bjorn s'agitait avec véhémence, désignant tour à tour le glacier et la montagne. Il parlait trop vite pour que la jeune femme puisse deviner le sens de ses paroles. Knut lui signifia de se taire et s'agenouilla près du bivouac. Il paraissait épuisé, il avait maigri. Sa barbe blonde lui donnait une expression plus sauvage qu'à l'accoutumée. Fixant Marion dans les yeux, il s'appliqua à parler lentement. Imitant Ragnaar, il complétait son discours de dessins esquissés sur le sol.

L'ymagière se maudit d'avoir trop compté sur Svénia au lieu d'apprendre sérieusement la langue viking. Son vocabulaire révélait aujourd'hui ses insuffisances : il lui était impossible de s'exprimer autrement qu'au moyen de mots mis bout à bout, sans articulation grammaticale.

Lentement, elle parvint à reconstituer le récit de Knut. Ses compagnons et lui-même avaient monté la garde dans la montagne, espérant surprendre les ennemis du clan. Ces mystérieux ennemis dont Rök parlait si souvent. À plusieurs reprises, un tireur invisible les avait pris pour cible, lâchement. Trois guerriers étaient morts dans leur sommeil, criblés de flèches. Longtemps, Knut et ses camarades avaient traqué ces adversaires fantômes dont les empreintes s'évanouissaient soudain en dépit de toute vraisemblance. Ils avaient cru avoir affaire à des démons... jusqu'au jour où Knut avait fini par découvrir des pieds en bois de tailles diverses cachés dans une crevasse. Il avait alors compris que l'ennemi invisible utilisait ces ustensiles pour imprimer de fausses traces dans la neige et créer l'idée qu'une troupe nombreuse hantait les sommets.

Une nuit, Knut qui feignait de dormir, surprit grâce à un rayon de lune la véritable identité de leur agresseur. Il s'agissait de Rök, bien sûr. Rök qui sortait de la cité souterraine sous prétexte d'effectuer des rondes de sécurité, et se glissait ensuite entre les rochers pour venir attaquer ses propres sentinelles.

Cette révélation les avait bouleversés, ils s'étaient demandé comment réagir. Ils n'étaient déjà plus assez nombreux pour prétendre investir la nécropole et prendre le pouvoir.

Aux marques de détresse inscrites sur les traits de Knut, Marion sentit que le garçon avait réellement vu ses certitudes basculer en l'espace d'une nuit.

Ses compagnons l'avaient supplié de prendre la fuite avec eux, pour redescendre dans la vallée et chercher un autre clan, mais Knut avait refusé de les suivre, *à cause de la Française...* Une brusque chaleur envahit le visage de Marion. Elle baissa les yeux, fuyant le regard du jeune homme.

D'ailleurs, les guerriers n'étaient pas encore remis de leur découverte et continuaient à s'interroger sur les motivations de Rök. Agissait-il ainsi parce qu'il convoitait l'ymagière ou parce qu'il craignait que Knut ne le détrône? Jamais on n'avait vu un chef se conduire de la sorte. La folie des *berserkr* commençait-elle à lui détruire la cervelle?

Ragnaar se garda bien d'apporter une réponse.

C'est alors que Bjorn intervint. Il parlait trop vite; toutefois Marion crut comprendre qu'immédiatement après les « funérailles », Rök avait décidé de partir en guerre et de monter une expédition préventive contre le clan installé de l'autre côté de la crête du midi, à trois jours de marche du glacier. Wanaa lui avait soufflé ce conseil au cours d'un songe. Désormais, elle s'adressait à son fils chaque nuit, dès que le sommeil le gagnait, lui dictant ce qu'il convenait de faire pour assurer l'avenir de la tribu.

« Ils sont partis massacrer des innocents, pensa Marion. Des gens qui ne se sont jamais souciés d'eux et ignorent probablement jusqu'à l'existence de la cité souterraine. »

Bjorn parlait, parlait... La jeune femme n'était pas certaine de saisir le sens de ses propos. Elle aurait aimé le prier de s'exprimer plus lentement, hélas, l'ancien sculpteur se trouvait dans un tel état de confusion mentale que toute intervention était inutile.

En assemblant les mots épars qui se bousculaient dans la bouche de Bjorn, elle établit que Rök avait tiré la dépouille de Wanaa de la caverne de méditation. Sans la toucher, en s'aidant de cordes, il l'avait fait glisser sur une litière. Ensuite, après avoir passé des gants de cuir, il s'était mis en tête de l'habiller, comme si elle était vivante.

« Elle nous accompagnera partout, avait-il déclaré. Désormais, elle vivra parmi nous et nous dira comment il convient d'agir. Elle dirigera le clan, je ne ferai que lui obéir et veiller à ce que ses ordres soient suivis. »

Personne n'avait osé contester cette décision aberrante. Alors on avait porté Wanaa hors de la cité, comme une reine, et tous les guerriers s'en étaient allés à la bataille, leurs armes à la main, sous la conduite de cette femme morte, plus dure que la pierre.

« C'est elle qui les commande maintenant, répétait Bjorn. Nous sommes maudits. Un mort qui commande aux vivants ne peut que les emmener en enfer. »

Marion frissonna. Elle imaginait le clan, cheminant à travers les cols enneigés, tandis que les porteurs brandissaient au-dessus de leur tête la litière funéraire de ce général d'outre-tombe.

Knut s'anima. L'inquiétude se lisait sur son visage. Les questions fusèrent : depuis quand les hommes étaient-ils partis ? Cette expédition relevait du suicide. Le clan qui vivait de l'autre côté de la ligne de crête était bien plus nombreux, et mieux armé. À moins de l'attaquer en pleine nuit et d'égorger hommes, femmes, enfants pendant leur sommeil, jamais Rök ne réussirait à s'en tirer vivant.

« Mais c'est justement ce qu'il a prévu ! se dit Marion. Il agira par traîtrise, pas au grand jour. Il va mener une guerre sournoise, d'égorgeur. Quand il en aura fini avec ses proches voisins, il poussera plus loin, et descendra dans la vallée, tuant, massacrant à la lueur de la lune. »

Knut saisit Bjorn par le revers de sa pelisse et le secoua. Restait-il encore quelqu'un dans la cité souterraine ? Oui, confirma l'ancien sculpteur, mais seulement les vieux et les enfants. Tous les hommes et femmes en état de manier un coutelas avaient suivi Rök... et Wanaa.

Knut poussa une exclamation sourde. On ne pouvait laisser faire cela. Un clan ne devait pas pâtir de la folie de son chef. La bravoure était une chose, la démence en était une autre.

Le jeune homme se dressa, en proie à des sentiments contraires. Marion devinait ses pensées. Elle aurait eu les mêmes à sa place.

« Il est tenté de prendre un raccourci pour aller prévenir le peuple de la crête du danger qui le menace, se dit-elle. Mais ce faisant, il trahit son propre clan, il condamne Rök et les siens à mort. »

La torture de l'indécision agitait les traits du garçon. Sa main droite s'ouvrait et se refermait sur le pommeau de son épée. Il ne savait quel chemin prendre. La loyauté au clan le condamnait à devenir complice d'une inutile tuerie, le bon sens ferait de lui un traître. Marion le sentit près de capituler. Les Vikings avaient l'habitude des massacres... alors un de plus, un de moins... Et puis Rök était le chef, il décidait, personne ne pouvait contester ses ordres.

Ragnaar prit soudain la parole. Il avait compris que Knut s'apprêtait à baisser les bras. D'un ton sec, guttural, il fustigea le comportement de Rök, son « fils ».

Les guerriers se figèrent, écoutant leur ancien chef, ce vieillard admirable qui, aujourd'hui, pour le bien du clan, n'hésitait pas à désavouer son propre enfant.

« Vieille canaille ! songea Marion. Tu crois que je ne vois pas clair dans ton jeu ? Tu viens de comprendre qu'une nouvelle chance de te débarrasser de Rök t'était offerte et tu ne veux pas la laisser passer. »

Déjà, le vieux avait convaincu les guerriers de se mettre en marche. Il était possible de couper à travers la montagne dès lors qu'on n'était pas embarrassé d'une litière. En usant de chemins de traverse, on pouvait atteindre l'autre côté du col avant Rök et sa colonne armée. Seulement il fallait se décider sans attendre, et partir comme on était, sans prendre le temps de faire des provisions.

Galvanisés par Ragnaar, les jeunes gens rassemblèrent leur paquetage. Marion en conçut un certain agacement. Elle aurait aimé être en mesure de faire comprendre à Knut que les intentions du vieillard n'étaient pas aussi pures qu'elles le paraissaient.

On s'élança sans attendre. Knut prit la tête de la colonne tandis que Bjorn et Marion se soutenaient l'un l'autre. L'escalade s'annonçait rude, elle consistait à sauter par-dessus la crête alors que Rök et les siens décrivaient un long détour par le sentier en lacets sinuant à flanc d'abîme. L'air glacé brûlait les poumons de la jeune femme, mais bouger lui faisait du bien. Elle avait l'impression que le mouvement contribuait à chasser les dernières scories du poison véhiculé par son sang.

Quand elle atteignit le sommet, elle ne tenait plus sur ses jambes ; Bjorn, lui, paraissait sur le point de rendre le dernier soupir.

Knut leur accorda une halte et fit réchauffer un peu de soupe dans un petit poêle à graisse de phoque. Le liquide brûlant leur donna la force de reprendre la course. Marion se laissait guider en aveugle. Sans les indications de Knut, elle serait tombée dans dix crevasses. La réverbération du soleil sur la neige commençait à lui irriter les yeux. Maintenant qu'elle avait dépassé le seuil de l'épuisement, elle ne sentait plus son corps. Elle ne souffrait pas, elle était ailleurs. Jadis, les pèlerins l'avaient mise en garde contre cette griserie. On pouvait en mourir, marcher et marcher jusqu'à ce que le cœur cesse de battre... Elle faillit supplier Knut de ralentir, mais se ravisa. Elle ne voulait pas paraître moins forte qu'eux.

D'ailleurs, ils étaient tous à bout de résistance, avançant tels des fantômes dans la lumière qui baissait.

« Les habitants du village vont nous prendre pour des spectres et nous cribler de flèches ! » songea Marion en étouffant un rire nerveux.

Enfin, les premières huttes de cuir apparurent. La jeune femme, qui n'y voyait plus très bien, crut qu'il s'agissait de gros animaux.

« Nous arrivons peut-être trop tard ? » se dit-elle, prise d'une soudaine appréhension.

Que se passerait-il si Rök avait déjà investi les lieux ? Victime d'une demi-hallucination due à la fatigue, elle se prit à imaginer le chef viking, trônant à côté de sa mère morte, raidie par le gel et vêtue comme une vivante.

« S'il veut la conserver en bon état, pensa-t-elle, il sera condamné à ne jamais sortir des solitudes glacées de l'éternel hiver. Jamais plus il ne pourra retourner dans la vallée, là où la température est plus clémente. »

Bjorn la secoua. Elle comprit qu'elle parlait toute seule. Elle avait envie de se laisser tomber dans la neige, de s'abandonner au sommeil. Svénia lui manquait. Elle en avait assez de tous ces hommes... de leur folie, de leur violence. Pour la première fois de son existence, elle envia les nonnes, prisonnières des couvents, protégées des tumultes du monde.

Knut avait posé ses armes et tentait d'établir le dialogue avec des sentinelles invisibles. C'était l'instant crucial. Les flèches pouvaient se mettre à siffler, les clouer sur place.

« Qui aurait envie de nous accueillir ? se demanda Marion. Nous devons avoir l'air de spectres remontés des enfers. » Elle regarda Bjorn et fut effrayée de son aspect. Ses cheveux avaient gelé, des stalactites pendaient à sa barbe ; on eût dit un squelette trouvé dans la crevasse d'un glacier. Un squelette qui se serait obstiné à rentrer chez lui, mendier un peu de soupe chaude.

Ne rien comprendre à ce qui se disait accentuait le malaise de la jeune femme. Elle pensa : « Je compte jusqu'à dix et je me laisse choir dans la neige. Advienne que pourra. »

Enfin, quelqu'un leur répondit. À travers les flocons qui tombaient dru, des sentinelles s'avancèrent, méfiantes. Une flèche encochée sur la corde de l'arc. Elles parlaient d'une tempête qui se levait. Knut et Ragnaar se présentèrent. Ils exigèrent de rencontrer le chef du village, au plus vite. C'était une question de vie ou de mort.

Les gardes hésitèrent. L'aspect des hommes les inquiétait moins que cette femme étrange aux mains de fer. Était-elle née ainsi? Était-elle tout à fait humaine? Ils craignaient d'introduire une démone dans l'enceinte du camp. Ragnaar dut les presser, parler du danger qui s'avançait à travers la tempête.

Les sentinelles cédèrent. Elles escortèrent les marcheurs jusqu'au seuil d'une longue hutte de cuir faite d'arceaux entrecroisés.

La chaleur qui régnait à l'intérieur suffoqua Marion. Elle aurait voulu faire bonne figure mais s'écroula dans un coin. Pendant que Knut, Ragnaar et les guerriers s'en allaient parlementer avec le chef du village, elle demeura avec Bjorn près du bivouac. Une matrone leur offrit un bol de soupe où flottaient des morceaux de poisson fumé. Incapable de se débrouiller seule, Marion dut s'en remettre à la bonne volonté de l'ancien sculpteur qui porta le récipient à ses lèvres et la fit boire comme une enfant.

Déjà, les commères chuchotaient en désignant les mains de fer de l'étrangère. Était-ce une prisonnière, une fille ensorcelée ou une femme guerrière comme on en voyait parfois?

La Française cédait au sommeil quand Knut réapparut. En quelques phrases, il expliqua que le chef de clan les avait crus. Il allait doubler la garde et mettre tout son monde en défense pour repousser une éventuelle attaque. La perspective d'avoir affaire à un *berserkr* lui faisait froid dans le dos.

Dans la longue hutte, les chuchotis allaient bon

train. Le mot *berserkr* courait de bouche en bouche. On avait beau être nombreux, on n'était pas sûrs de tenir bon ! On ne l'ignorait pas : un seul fou de guerre valait vingt soldats ordinaires.

Des ordres furent lancés. Les hommes couraient en tous sens tandis que retentissait le cliquetis des cuirasses et des armes.

« Au moins, nous aurons essayé, songea Marion. Nous mourrons en paix avec notre conscience. »

Pour l'heure, elle ne pensait plus qu'à se gaver de la bonne chaleur du feu. Son visage dégelait doucement, des milliers d'aiguilles invisibles criblaient ses pommettes d'agaçantes piqûres. Du coin de l'œil, elle voyait Ragnaar se métamorphoser. Le pouvoir le transformait. Il n'avait plus rien du vagabond loqueteux qu'elle avait vu se nourrir d'ordures. Enveloppé de haillons, le vieillard retrouvait ses anciennes attitudes de commandement. Il s'approcha de l'ymagière, s'agenouilla près d'elle, et lui fit voir la clef des gantelets. Elle comprit ce qu'il voulait dire : elle devrait rester près de lui pendant les heures à venir, et quand Rök sortirait de la tempête, elle poserait les mains sur lui pour le changer en torche vivante. Oui, il comptait sur elle. Elle était son arme secrète contre le *berserkr*.

« Le pauvre, se dit Marion, s'il savait... »

Ragnaar lui adressa un sourire de complicité. Il n'avait pas peur. Il semblait même impatient d'assister à la crémation du bâtard. Ce serait sa revanche sur Wanaa. Il remerciait les dieux de lui accorder, si peu de temps avant de mourir, la joie de voir ses vœux comblés. Ainsi il pourrait s'éteindre en paix, car rien n'est plus doux au cœur d'un Viking que les râles d'agonie de ses ennemis. Ah ! c'était certain maintenant, les dieux l'avaient écouté, les dieux lui offraient la belle et bonne vengeance. Après tout ce temps, ces humiliations, après avoir croupi dans l'ordure comme le pire des chiens... Après tant de ténèbres, soudain tant de splendeurs! C'était trop de bonheur, il devait se retenir de rire sous peine de passer pour fou. La Française allait l'aider. Cette petite bonne femme qu'il avait pourtant failli tuer à plusieurs reprises... Ah! les dieux avaient eu raison de faire avorter ses pauvres tentatives. Comme il s'en mordrait les doigts, aujourd'hui!

Il attendait Rök de pied ferme, ce gros bâtard poilu, mi-homme mi-ours, qui n'avait jamais engendré que des marmots difformes. Il n'avait pas peur du *berserkr* écumant, bavant le venin que sa mère avait instillé en lui. Non, car il avait la petite Française à ses côtés. Le moment venu, il lui ôterait les gantelets de protection, comme on enlève son capuchon de cuir à un faucon avant de le lancer sur un pigeon. Elle n'aurait alors qu'à marcher à la rencontre de Rök. Il brûlerait, la charogne! On l'entendrait crépiter tel un sarment trempé dans la poix! Ah! comme Ragnaar aurait plaisir à l'entendre hurler dans la nuit. Que de joie à le voir se tordre, racornir... Quand son gros corps aurait rétréci sous l'effet de l'embrasement, Ragnaar pisserait sur la dépouille noircie et la piétinerait. Alors, seulement, la paix se réinstallerait en lui, et il pourrait mourir heureux.

Le feu! le bon feu de joie! Ah! comme il avait hâte! Comme la nuit serait longue!

Marion s'écarta du vieillard. La méchanceté faisait luire les yeux de Ragnaar, lui donnant l'allure d'un loup. Elle entendait presque son vieux cœur taper contre ses côtes sous l'effet de l'excitation. Il était le seul, ici, à se réjouir de la tournure des événements. Elle n'eut pas le courage de le détromper. Déçu, il l'aurait peut-être assassinée. Elle n'avait aucun mal à l'imaginer, la saisissant par les cheveux pour lui plonger le visage dans les braises du foyer.

Non, elle devait se taire.

Knut leur fit signe de le rejoindre. Le village se mettait en défense. Partout l'on dressait des barricades, on pelletait la neige pour improviser des murets derrière lesquels s'embusqueraient les archers. La tempête hurlait, déferlant sur la montagne comme si elle avait décidé d'en écorner le sommet. C'était une mauvaise nuit pour mourir. Le vent arracherait trop vite l'âme des blessés. On levait les yeux, s'attendant à voir chevaucher les Walkyries au milieu des bourrasques de flocons. Qui choisiraient-elles ce soir ? Qui s'en irait rejoindre les guerriers morts préposés à la défense du château d'Odin ?

Marion et Ragnaar se tassèrent contre un mur de neige, à l'abri des rafales. Le froid était intense. La sueur gelait sur le visage des hommes. La jeune femme tira son capuchon de fourrure sur ses yeux. Il n'y avait plus qu'à attendre. Autour d'elle, les Vikings plissaient les paupières, scrutant les ténèbres.

CHAPITRE TRENTE

Ils attendirent toute la nuit, dans la tourmente. Il faisait si froid qu'il fallut instaurer un roulement pour permettre aux hommes d'aller se réchauffer dans la grande hutte collective. Le chef du village, courbé sous les rafales, allait de l'un à l'autre pour vérifier qu'ils ne sommeillaient pas. Des températures aussi basses avaient tendance à générer chez ceux qui s'y trouvaient exposés une irrépressible envie de dormir. On se laissait doucement glisser sur la pente de la somnolence, et l'on fermait les paupières pour ne plus jamais les rouvrir. À intervalles réguliers, Ragnaar posait la main sur l'épaule de Marion et la secouait. La jeune femme s'endormit trois fois; sans la vigilance du vieillard, elle serait morte.

L'aube décolora le ciel. Rök ne s'était pas montré. Le chef de clan, fatigué et furieux, invectiva Knut. Marion songea qu'il était préférable de quitter le village avant que la querelle ne s'envenime. Elle le dit fort maladroitement à Ragnaar. Le vieillard ne lui prêta pas attention. Il était mécontent et inquiet. Il avait espéré en finir avec le bâtard au cours de la nuit, et voilà! tout était remis en question... Il scrutait la ligne d'horizon avec une attention soutenue, espérant voir enfin surgir la horde hirsute des Vikings conduite par le *berserkr*. Hélas, rien ne vint.

Knut et ses compagnons s'éloignèrent du hameau sous les huées. Des enfants leur lancèrent des pierres.

« Ce que nous faisons est dangereux, songea la jeune femme. Rök a probablement décidé de laisser passer la tempête. Il attaquera cette nuit; voilà tout. »

En quittant le village, ils risquaient de se jeter dans la gueule du *berserkr*.

« Rök et ses hommes sont peut-être embusqués derrière ces congères? » se dit-elle.

Ragnaar pensait comme elle. Il suffisait de le voir examiner les environs pour en être convaincu.

La neige fraîche, poudreuse, rendait la marche difficile.

Conscient de la menace, Knut les conduisit à l'abri d'un couloir rocheux. Il savait de manière certaine par où Rök attaquerait car le terrain truffé de crevasses et de pièges naturels ne permettait guère de multiplier les stratégies.

Ils attendirent donc, grelottant sous les effets conjugués du froid et de l'insomnie.

Encore une fois, rien ne vint. Ragnaar ne tenait plus en place. La fatigue ne semblait pas avoir de prise sur lui. Il se mit à parler d'un débit haché. Il s'impatientait et faisait valoir qu'on ne pouvait rester ici une éternité sans courir le risque de geler sur place. Knut hocha la tête. Il en avait assez d'attendre, lui aussi. Le désir d'en finir le poussait à se jeter dans une action précipitée, au risque d'y laisser la vie.

« N'écoute pas Ragnaar, aurait voulu lui crier

Marion. Il se moque que nous mourions tous pourvu qu'il puisse satisfaire sa vengeance. Partons d'ici tant que nous sommes encore en vie, descendons dans la vallée, là où le printemps s'est maintenant installé et essayons d'oublier toutes ces horreurs. »

Mais les mots lui manquaient pour exprimer de telles pensées et Ragnaar, pressant, en appelait au courage, à l'honneur des guerriers.

Elle tenta de s'interposer ; le vieillard la fit taire d'un geste. La guerre n'était pas une affaire de femme. Knut, dompté, dégaina son épée. Ses compagnons l'imitèrent. Le vieux chef les tenait sous son emprise. Quoi de plus normal, puisqu'il s'agissait de l'exécution de son propre fils, Rök... Knut espérait bien, de toute sa vie d'homme, n'être jamais amené à prendre pareille décision.

Ils quittèrent la tranchée pour se lancer à découvert. Marion n'osait penser à ce qui se passerait quand ils se trouveraient nez à nez avec Rök. Knut aurait-il le temps de frapper le premier ? Elle en doutait. Avant qu'il ait pu lever son épée, le *berserkr* l'aurait décapité d'un revers de lame.

« Nous n'y survivrons pas, se dit-elle. Aucun d'entre nous. »

Elle avait l'impression d'être conduite par un bourreau à sa propre exécution. Ragnaar l'avait saisie par le coude et la forçait à avancer dans la neige qui lui montait à mi-cuisse. Chaque pas leur coûtait de terribles efforts. Ils grimpèrent en zigzaguant vers la crête. Marion avait la conviction que Rök se tenait là, agenouillé derrière ce rempart naturel, attendant le moment propice pour se ruer à l'assaut.

« Nous allons nous jeter dans la gueule du loup », se répéta-t-elle.

Elle n'avait plus de souffle, son cœur semblait

près d'exploser. Knut se hissa sur le muret... et demeura interdit. Là non plus, il n'y avait personne.

Alors commença une longue exploration des environs. On dévala les pentes, on s'engagea dans d'étroits défilés, on traversa des ponts de neige à la recherche de la tribu perdue. L'exaspération des hommes se changeait en folie. Ils voulaient savoir !

Enfin, vers le milieu du jour, alors que leurs forces déclinaient, ils aperçurent Rök et les autres. Arrêtés en cercle sur la plaine neigeuse, attendant on ne savait quoi.

Knut lança un appel qui demeura sans réponse. Il fallut s'approcher. Quand on fut à trente pas, la vérité devint évidente. *Ils étaient tous morts, gelés.* Le froid les avait pétrifiés au cours d'une halte, alors qu'ils essayaient de se réchauffer autour d'un minuscule bivouac.

« Le feu s'est sans doute éteint sous les rafales, songea Marion. La sentinelle chargée de le surveiller s'est endormie elle aussi, et tout le clan est mort dans son sommeil, en peu de temps. »

Bataillant pour s'ouvrir un chemin dans la neige, elle marcha vers Rök. Le trépas l'avait saisi les yeux clos, à peu de distance de Wanaa. Tous les autres — y compris Boulba et sa dernière fille — avaient subi le même sort. Recroquevillés, ratatinés, ils avaient l'air de statues enveloppées de givre. Leur chair bleuâtre n'avait plus rien d'humain.

« C'est la faute de Rök, songea-t-elle. Il les a forcés à aller bien au-delà de leur résistance. Boulba a dû les y aider en leur distribuant une potion de son invention, une de ces liqueurs qui engourdissent la fatigue et vous donnent l'illusion d'être capable de marcher jusqu'au bout de la terre. Mais leur corps, lui, n'a pas suivi. À la dernière halte, il a rendu les armes et préféré le sommeil. »

Le dernier sommeil.

Elle allait de l'un à l'autre, identifiant les visages. Tous les guerriers étaient là, les mains soudées au pommeau de leur épée. Une pellicule de glace les recouvrait déjà, plaquant sur leurs traits un masque de verre.

« Ils ont rejoint Wanaa dans la mort, se dit l'ymagière. Finalement, Rök a obtenu ce qu'il désirait : aller retrouver sa mère de l'autre côté du miroir. »

Knut et ses compagnons ne savaient quelle contenance adopter. Ragnaar, lui, ne cachait pas son mécontentement. Il tournait comme un chien fou autour de Wanaa et de Rök, s'approchait d'eux, reculait, revenait en serrant les poings.

« La mort lui a volé sa vengeance, constata la jeune femme. Il ne voulait pas que les choses tournent ainsi. Il s'estime floué. »

Knut et les autres le regardaient sans rien comprendre à son attitude. Ils s'étaient attendus à voir le vieux chef ravaler dignement sa souffrance, à se composer un visage de pierre... cette explosion de rage les troublait. Pourquoi Ragnaar était-il si... *insatisfait*? On eût dit qu'il réclamait davantage, qu'il estimait le travail mal fait... ou incomplet. C'était étrange et inquiétant. Était-il en train de perdre l'esprit ?

Ragnaar explosa en invectives. Marion comprit qu'il exigeait qu'on taille les « statues » en pièces. Il voulait voir les dépouilles de Wanaa et de Rök réduites en miettes. Là, tout de suite.

La stupeur des guerriers se changea en inquiétude. Il était inenvisageable de porter atteinte à l'intégrité corporelle des personnes désignées, cela ne se faisait pas... Pire : à leurs yeux, cela ne se justifiait pas. C'était contraire à toutes les règles.

Ragnaar se jeta sur Marion, la saisit par le devant de son manteau et la secoua en lui criant au visage des choses incompréhensibles. Knut dut les séparer.

« Le vieux a peur, pensa l'ymagière. C'est plus fort que lui... Il ne se sentira rassuré qu'une fois Wanaa totalement détruite. Il est persuadé qu'elle est toujours vivante, qu'un jour ou l'autre elle va sortir de son immobilité pour se venger. »

Oui, seule la superstition expliquait son attitude, son acharnement à profaner les cadavres de ses ennemis.

« C'était une magicienne, se dit Marion. Il pense que l'avalanche ne l'a pas réellement tuée, et qu'au fond de son corps pétrifié subsiste une étincelle de vie que la chaleur pourrait ranimer. »

Il ne voulait pas la laisser là, *intacte*, c'était trop dangereux. Quelqu'un, par malignité, pouvait allonger le cadavre près d'un feu de camp et le laisser dégeler. Alors la déesse aux vipères sacrées se relèverait d'entre les morts, et son premier acte serait de se mettre en quête de son assassin.

Voilà ce que redoutait Ragnaar.

— Il faut partir, dit Knut en s'adressant à la jeune femme. Plus nourriture, plus bois pour allumer feu. Redescendre dans la vallée, le plus vite possible... ou bien mourir ici. Les loups flairer bientôt notre présence.

Il parlait lentement pour se faire entendre de l'étrangère. Marion hocha la tête. Il avait raison, ils ne survivraient pas à une nouvelle nuit dans la montagne. Il fallait dévaler la pente au plus vite pour gagner une altitude plus clémente, où ils seraient à l'abri du vent.

Ragnaar s'entêtait, trépignant tel un enfant capricieux. Il ne se décida à suivre ses compagnons qu'une fois ceux-ci engagés sur le chemin de la descente, par peur de se retrouver seul.

Marion se coulait dans les pas de Knut. Si la chance voulait bien les favoriser, elle verrait peut-être la fin de ce cauchemar avant la tombée de la nuit.

Ils parvinrent au premier surplomb à la fin de l'après-midi. Là se trouvait une caverne où l'on pourrait dormir à condition de se pelotonner les uns contre les autres. Il restait très peu de graisse pour alimenter le poêle portatif.

Au matin, le groupe se séparerait en deux. Knut, Marion, Ragnaar et Bjorn descendraient dans la vallée pour tenter de dénicher un endroit propice où établir un nouveau campement ; les autres retourneraient à la cité souterraine pour apprendre aux femmes et aux enfants qu'il était désormais inutile de rester tapis dans ce terrier. Rök mort, l'inexistence des ennemis invisibles établie, la vie pouvait reprendre un cours normal. Plus jamais le clan ne fuirait l'été pour chercher refuge dans les montagnes de l'éternel hiver. On convint d'un rendez-vous au carrefour des routes, près d'une certaine pierre levée dont Marion ne comprit pas le nom.

Après quoi l'on partagea les dernières provisions et l'on mangea en silence. La jeune femme percevait sans mal le trouble des hommes. Ils vivaient là un grand bouleversement. C'était l'un de ces instants où tout peut basculer, où les derniers survivants d'un clan peuvent se séparer et choisir d'oublier leur passé commun. Dans les regards flottaient l'indécision, la peur du lendemain, le regret des certitudes disparues.

Le repas achevé, on s'emmitoufla pour la nuit, chacun s'encastrant dans son plus proche voisin afin de ne rien laisser perdre de la chaleur collective.

Les jeunes gens étaient si fatigués qu'ils s'endormirent sans songer ni aux loups ni aux ours. Seul Ragnaar resta éveillé, guettant avec effroi l'inévitable seconde où la silhouette de Wanaa se dresserait au seuil de la caverne pour lui demander des comptes.

CHAPITRE TRENTE ET UN

Ils firent comme il en avait été décidé. Les guerriers bifurquèrent en direction du glacier tandis que Knut, Marion, Bjorn et Ragnaar descendaient vers la vallée.

Au fur et à mesure qu'ils s'éloignaient des hauteurs, la neige devenait moins épaisse, la progression plus facile. Ils eurent bientôt presque chaud et durent se défaire de leurs fourrures.

À présent, l'herbe apparaissait par plaques, perçant la neige déliquescente. Une odeur de terre détrempée flottait dans l'air. Le printemps était là, rongeant les contreforts de l'hiver. La base de la montagne avait verdi, les prairies, en contrebas, n'offraient plus au regard que de rares taches blanches.

Marion frémit de joie lorsqu'elle aperçut les premiers arbres : des sapins noirs, dont les branches s'entrecroisaient si serré qu'elles installaient les ténèbres sous le couvert.

Elle n'en revenait pas d'avoir échappé aux pièges des hauteurs. Elle ne cessait plus de se déshabiller, étonnée de découvrir qu'il faisait si chaud dans la plaine.

Il leur fallut encore deux heures pour atteindre le

niveau de la mer. Ils improvisèrent un bivouac et Knut partit chasser, son arc en bandoulière.

« C'est fini, songeait Marion. Le mauvais rêve s'arrête ici. Que va-t-il se passer maintenant ? Que vais-je devenir ? »

Par instinct, elle regarda en direction du large, comme si, à travers la brume, elle allait distinguer la côte de France. Son cœur se serra. Elle était bien loin de chez elle, exilée en un pays où elle avait déjà failli dix fois périr. Knut saurait-il la protéger de ce monde barbare dont les coutumes ignoraient la plus élémentaire pitié ?

CHAPITRE TRENTE-DEUX

Ils construisirent une grande hutte de branchages entrecroisés. La forêt n'était pas sûre. Il fallait se méfier des ours gloutons, toujours en maraude. On se dépouilla des fourrures, des bottes. Mal équipée, Marion crevait de chaud. Knut chassait. Le gibier ne manquait pas et l'on mangeait à sa faim. Par trois fois, le jeune homme s'était rendu au croisement des routes, là où auraient dû normalement l'attendre les survivants du clan. À chaque expédition, il revint bredouille. Personne ne s'était présenté au rendez-vous.

« Ils n'ont pas voulu quitter la cité souterraine, se disait Marion. La nouveauté leur fait peur. Ils sont trop enracinés dans leurs vieilles croyances pour envisager de commencer une autre vie. »

Au début, Knut émit l'idée de revenir en arrière, de repartir à l'assaut du glacier. Il craignait un éboulement, une avalanche. Marion, au moyen de son pauvre vocabulaire, lui suggéra que ses anciens compagnons de guerre en avaient sans doute profité pour prendre le pouvoir. Rök mort, Ragnaar exilé, le trône était vacant.

Knut baissa la tête. Après avoir surmonté sa déception, il déclara qu'on fonderait un nouveau clan ici, dans la plaine. Ce serait lent, mais, avec de la patience, on y parviendrait. Ragnaar, jusqu'à sa mort, serait le chef de ce groupe en gestation. Ensuite, lui, Knut, prendrait la relève. En quelques années, on serait assez nombreux pour prétendre être reconnus par les autres.

Et puis... et puis il y avait le problème des croyances. Fallait-il continuer à vénérer les anciens dieux ou faire comme les Vikings d'aujourd'hui, se convertir au christianisme ?

Désormais, Knut s'entretenait de ces choses avec Marion. Les deux jeunes gens marchaient dans la forêt en s'enseignant l'un l'autre leur langue d'origine. L'ymagière se laissait griser par cette atmosphère de douce complicité. Vingt fois, elle demanda au garçon de la libérer des moufles de fer, mais sa requête plongea son interlocuteur dans une grande gêne.

C'était impossible, disait-il. Pour le moment, Ragnaar conservait la clef des gantelets... et il était le chef. C'était un homme des anciennes croyances, il n'admettrait pas facilement d'y renoncer.

« Allons, pensait Marion. Avoue que toi aussi tu as peur ! »

La jeune femme sentait que Knut avait envie d'elle, et elle ne cherchait plus à se dissimuler qu'elle le désirait également. Elle vivait depuis trop longtemps dans l'abstinence pour n'être point émue par le torse nu du jeune guerrier, le jeu des muscles sous la peau, ou la vue de son visage aux pommettes saillantes. Elle se serait damnée pour laisser courir le bout de ses doigts sur le corps du garçon, pour effleurer sa poitrine, l'intérieur de ses cuisses. Elle savait par avance qu'elle éprouverait une excitation intense à caresser cette machine de guerre parfaite, dès lors qu'elle serait au repos, abandonnée sur un lit de fourrure. Ces pensées lui mettaient le feu aux joues, au ventre, et lui faisaient la respiration courte.

À force de se côtoyer, de s'effleurer, leur désir mutuel s'exaspérait; toutefois, la présence goguenarde de Bjorn et celle — malveillante — de Ragnaar les empêchaient de passer à l'acte.

Marion savait que le vieux chef la considérait comme sa propriété personnelle, sa servante.

« Il me garde en réserve, se disait la jeune femme. Il a toujours peur que Wanaa ne vienne un jour lui demander des comptes. »

Elle était certaine, à présent, que le vieillard perdait la tête. Il lui arrivait de rester des heures assis sur une souche, au milieu de la prairie, à scruter la montagne, en bougonnant des choses incompréhensibles. Le soir, lorsqu'on se rassemblait autour du bivouac, il ne desserrait jamais les dents et n'accordait pas un coup d'œil à ses voisins. Si une branche craquait dans la forêt — ce qui était fréquent ! — il se redressait, fiévreux, pour sonder l'obscurité. Sa présence gâchait une bonne part du plaisir que Marion éprouvait à vivre aux côtés de Knut.

Bjorn, lui, savait se rendre utile. Son habileté manuelle, même si elle n'entretenait plus qu'un lointain rapport avec son ancien don de sculpteur, lui permettait de tailler des objets usuels dans le bois de certains arbres. Il prenait un plaisir manifeste à cette occupation et ne cessait plus de façonner des bols, des écuelles, des cuillers, qu'il durcissait au feu.

La vie s'organisait doucement, et Marion commençait à penser qu'il serait peut-être possible pour elle de se creuser une niche ici, en terre étrangère. Une niche où elle se blottirait avec Knut.

La nuit, il lui arrivait de rêver de Rök, de Wanaa...

l'image de la magicienne aux vipères la hantait ; elle se réveillait en sueur, la chemise collée à la peau. Il lui faudrait longtemps pour se débarrasser de ces cauchemars, elle le pressentait. Alors, dans les ténèbres de la hutte, elle écoutait respirer Knut, à travers les ronflements de Bjorn, et le souffle sifflant de Ragnaar que torturaient d'interminables insomnies.

Maintenant, elle accueillait le jour avec confiance et joie. Elle découvrait qu'elle adorait cette atmosphère de recommencement. Sans la présence de Ragnaar, elle aurait été totalement heureuse.

Elle se débrouillait de mieux en mieux en langue norroise et parvenait à tenir de brèves conversations avec Knut. Alors qu'elle accompagnait le jeune guerrier à la chasse, elle lui fit valoir une fois de plus que les gantelets l'entravaient au-delà du supportable. Ne disposant plus d'une servante, elle se trouvait désormais dans l'incapacité de faire sa toilette ou d'affronter dans de bonnes conditions certaines obligations féminines dont Svénia s'était chargée. Knut rougit et baissa les yeux. Satisfaite de sa ruse, Marion se prit à espérer qu'il en viendrait bientôt où elle voulait.

Elle insista. Les serrures des gantelets étaient rudimentaires, expliqua-t-elle. Il suffirait d'une bonne lame pour les forcer. S'il l'exigeait, elle porterait des gants de cuir en permanence, afin de ne pas courir le risque de les effleurer à mains nues, lui et ses compagnons.

Knut hochait la tête mais se contentait de répéter :

— Ragnaar possède la clef, c'est lui qui devrait normalement te délivrer.

Un jour qu'il l'irritait à se montrer si respectueux, elle lui répliqua que Ragnaar était en train de perdre la tête. Il devenait gâteux, il était grand temps que Knut prenne le « clan » en charge.

Troublé, le jeune homme mit fin à la discussion. Il n'avait pas l'habitude de côtoyer des femmes si raisonneuses. Jusque-là, ses compagnes de lit s'étaient montrées dociles et enjouées, les seules qualités qu'un Viking attendait d'une maîtresse.

« Je finirai bien par l'apprivoiser, se répétait Marion. Avec un peu de chance, j'arriverai à lui extirper de la tête ses habitudes de piraterie. »

Elle ambitionnait de mener une vie honnête, sur ce coin de terre proche de l'océan. Pourquoi Knut n'utiliserait-il pas sa science instinctive des bateaux pour construire de bonnes barques insubmersibles, et les vendre aux gens du voisinage ? Ne serait-ce pas plus chrétien que d'aller piller les côtes des alentours ? Knut en convenait sans peine : l'âge glorieux des Vikings était révolu. Il fallait changer sa manière de vivre, ne plus se comporter en prédateur, apprendre à commercer avec le reste du monde.

Marion ne désespérait pas de l'amener à souhaiter cette métamorphose pacifique. Le guerrier devenant artisan, abandonnant l'épée pour le rabot... En serait-il capable ?

Plus elle l'observait, plus elle se sentait glisser sur la pente de l'amour. Cette perspective l'effrayait. Était-il raisonnable de s'éprendre d'un barbare ? D'envisager de construire sa vie avec lui ?

Elle ne savait pas...

« J'ai envie de lui, je veux le sentir en moi, se disait-elle. Une fois qu'il me tiendra clouée au fond de son lit, la fièvre me quittera peut-être. Je serai délivrée. De nouveau libre. »

La voix de la raison lui soufflait qu'elle devait miser sur cette guérison car elle n'avait rien à espérer de Knut. « Il est beau, c'est vrai, pensait-elle, mais c'est un ancien boucher. Il a tué, massacré des centaines d'hommes, de femmes, d'enfants... Ne l'oublie jamais. On l'a dressé pour ça comme on dresse un chien au combat. Quand on a pris de telles habitudes, on ne les perd pas en un mois, ni même en un an. »

Elle craignait de se laisser prendre au piège, de devenir la chose d'un barbare qui, toujours, l'horrifierait secrètement. En même temps, elle en mourait d'envie. Parfois elle détestait sa faiblesse et les pulsions contradictoires qui la déchiraient.

« Je m'en guérirai, radotait-elle. Dès que nous aurons fait l'amour, la passion refluera, et j'en serai délivrée. Oui. »

Knut entreprit de bâtir une maison de rondins. Officiellement, il déclara craindre les intrusions des ours attirés par le fumet de la nourriture ; Marion, elle, devina qu'il voulait leur ménager plus d'intimité en construisant une habitation divisée en chambres autonomes. Elle s'en félicita. Elle ne tenait pas, elle non plus, à jouir sous les yeux de Ragnaar.

Knut obtint enfin qu'on la délivre des gantelets. Cela n'alla pas sans peine car le vieux chef s'accrochait à la clef des moufles de fer comme à une couronne de roi. Marion dut promettre de ne jamais s'exhiber mains nues, et de conserver en permanence des gants de cuir lacés aux poignets. Elle fit tous les serments qu'on voulait ; au vrai, elle ne s'estimait nullement liée à ces barbares par un quelconque devoir de loyauté.

Dès lors, elle put collaborer aux tâches quotidiennes et même participer à la construction de la longue maison. Elle éprouvait une joie étrange à ériger cet abri où elle allait probablement se donner à

Knut. Lui ferait-il un enfant? Elle tournait et retournait cette idée dans sa tête, s'interrogeant sur ce qu'elle désirait réellement. Avait-elle vraiment envie de porter le fils d'un tueur?

Si cela arrivait, il faudrait veiller à ce que son père ne lui inculque pas les mêmes fâcheuses habitudes. Elle lui apprendrait la compassion, la nécessité d'aider les faibles, de porter secours aux malades...

Knut comprendrait-il ces valeurs fondamentales? Elle n'en était pas sûre. Un abîme les séparait. Il aurait beau vouloir de toutes ses forces évoluer, il resterait prisonnier des cultes anciens, de la sacralisation de la force et du carnage. Marion tremblait qu'il ne transmette ces poisons à son fils.

« Je suis folle, se disait-elle parfois. Nous n'avons même pas encore couché ensemble et me voilà bâtissant des contes où nous vieillissons côte à côte. »

Knut expliqua qu'une fois la maison terminée, il pousserait jusqu'au village voisin et ferait connaître sa décision de fonder un nouveau clan, dans l'espoir d'attirer de jeunes couples.

— Quand la population d'un village devient trop nombreuse, dit-il, on chasse ceux qu'on n'arrive plus à nourrir. C'est pour cette raison que, jadis, les jeunes gens prenaient la mer pour essayer de faire fortune. Le bateau devenait tout à la fois leur terre et leur maison. Il est possible que je parvienne à convaincre quelques gars et filles des environs de venir s'installer ici. Il y a du bois autant qu'on veut et nous ne sommes pas loin de la mer, nous pourrions ouvrir un chantier de construction où l'on taillerait de bons navires.

Ces paroles emplissaient Marion de bonheur, elle se demandait toutefois si Knut aurait réellement le courage d'enterrer ses armes et de renoncer à sa vie de brigandage maritime. N'allait-il pas s'ennuyer ?

Les hommes aimaient la guerre, c'était un fait connu de toute femme jouissant d'un minimum de raison. Ils avaient beau s'en défendre, cet appétit était en eux, coulant dans leurs veines ; prétendre les en soulager aurait équivalu à les saigner à mort, comme des cochons pendus au-dessus d'une bassine.

« Cesse donc de réfléchir, se disait-elle. Ne fais pas de projets. Prends la vie telle qu'elle se présente. Le monde où tu vis ne permet pas de voir loin. »

Elle éprouvait le besoin de se laisser aller. Elle n'avait plus le désir de lutter. Une curieuse exaltation l'emplissait, celle qui vous saisit à l'aube des commencements, quand tout est à faire, quand la partie n'est pas encore jouée.

Un après-midi, dans la forêt, elle posa la main sur l'épaule de Knut pour le forcer à la regarder en face et avoua :

— Je n'ai jamais été une sorcière, tu sais ? Je n'ai pas de pouvoirs magiques. Rök a imaginé tout cela. Mes mains sont semblables à celles de n'importe quelle femme.

Elle parla longtemps, en s'appliquant à construire ses phrases et à prononcer correctement les mots. Knut adopta une attitude fuyante, comme si les révélations de Marion le gênaient.

« Pourquoi donc ? se demanda la jeune femme. Me préférait-il en magicienne ? Jugeait-il cela plus piquant ? »

Elle eut soudain peur de l'avoir déçu.

— Je ne comprends pas, répétait le garçon. Tu ne t'expliques pas bien.

Elle renonça. À la fois dépitée et inquiète.

Conquérir une magicienne avait excité ce garçon, il n'en allait plus de même dès lors que cette démone dégringolait de son piédestal pour redevenir une vulgaire femelle qu'on pouvait impunément trousser sur la paille d'une écurie.

« Ou bien, songea-t-elle, il est si fort enfoncé dans ses superstitions qu'il est incapable d'admettre la réalité. »

On acheva la longue maison sans plus évoquer le problème. Marion goûtait le plaisir des tâches accomplies dans la bonne humeur. Elle aimait la lassitude qui s'emparait d'elle à la tombée du soir, et la joie de basculer dans un sommeil sans rêves.

Les cauchemars avaient enfin cessé de la harceler.

Elle cultivait une certaine insouciance et se faisait un devoir d'ignorer les regards inquisiteurs de Ragnaar. De temps à autre, il s'approchait d'elle pour vérifier que les lanières de ses gants de cuir étaient bien serrées au moyen de nœuds marins que l'ymagière aurait été incapable d'entrelacer elle-même.

Marion ne protestait pas. Les gants lui tenaient chaud, mais ils constituaient une nette amélioration en comparaison des moufles de métal. Elle ne désespérait pas de s'en débarrasser lorsque Knut aurait admis qu'elle n'était point sorcière.

Le temps passait. La température devenait clémente. La forêt se remplissait d'odeurs. Bientôt les fruits viendraient. La jeune femme s'abandonnait à l'engourdissement qui suit les guerres. Son corps avait faim de tout. Elle s'efforçait de ne pas penser au futur. Elle vivait une époque où il était déconseillé de voir trop loin dans l'avenir.

Knut multipliait les visites aux clans des environs. Il parlait aux jeunes du nouveau « village » à bâtir au seuil de la forêt. Pour le moment, ses propos n'avaient éveillé aucune vocation. Marion crut comprendre que les gens avaient peur de Ragnaar... et d'elle-même. On chuchotait déjà qu'elle avait conduit Rök à sa perte, et tout le clan à sa suite. On disait qu'elle avait le mauvais œil.

En entendant cela, la jeune femme haussait les épaules, elle n'était pas fâchée de cette demi-solitude. Elle avait fini par s'habituer aux deux vieillards. En outre, elle appréhendait la venue de filles aguicheuses qui n'auraient pas manqué de tourner autour de Knut. Depuis peu, elle savait le guerrier plus jeune qu'elle de cinq ans, et s'en inquiétait. Elle lui avait caché son âge, de peur qu'il ne la trouvât trop vieille.

La maison terminée, Knut se mit à couper du bois pour l'entreposer. Le soleil de l'été le sécherait. Il ne ménageait pas sa peine et travaillait de la hache sans relâche, sous l'œil ironique de Ragnaar.

Le vieux chef ne prenait aucune décision et ne se mêlait guère des projets du garçon. Sa seule activité consistait en une surveillance permanente de la montagne, comme s'il redoutait d'en voir descendre Wanaa. Il était capable de rester immobile des journées entières, assis sur sa souche, une gourde en peau de chèvre à ses pieds.

— Ce n'est pas grave, avait marmonné Bjorn. Dans peu de temps il sera mort, et la première barque fabriquée par Knut servira à ses funérailles.

C'était une existence tout à la fois monotone et radieuse, où la plus importante des certitudes était de se savoir en vie. Pour l'heure, Marion n'avait besoin que de cela... et d'un peu d'amour.

Ce qui devait arriver arriva.

Une nuit, elle entra dans la chambre de Knut, nue, n'ayant conservé que ses gants de cuir, et se glissa dans son lit. Elle éprouva une telle griserie à sentir la peau du jeune homme contre la sienne que la tête lui tourna. Elle jouit dès qu'il la pénétra. Les gants la gênaient, ils l'empêchaient de caresser le torse du garçon, d'en explorer le grain et la douceur. Elle aurait voulu le palper, le pétrir, le griffer, éprouver la palpitation de son pénis au creux de sa paume...

Elle dut le mordre à l'épaule pour étouffer ses gémissements. Elle ne voulait pas que Ragnaar sache ce qui se passait. Elle fut étonnée de sentir Knut trembler entre ses bras comme la première fois qu'il avait tenté de la prendre, là-bas, dans la neige du glacier. Croyait-il toujours qu'elle était sorcière? Était-ce cela qui l'excitait?

Elle le quitta dès qu'il eut pris son plaisir, et regagna sa couche, les jambes tremblantes. Elle avait adoré gémir sous ses étreintes, à tel point qu'elle en était quelque peu alarmée. Elle n'aimait pas se sentir la proie d'une passion qui la dépassait.

« C'était trop..., se dit-elle. Mais l'habitude y mettra bon ordre. »

Elle essayait de se rassurer. De se convaincre qu'elle ne deviendrait pas la « chose » du jeune Viking. Pour rien au monde elle n'aurait voulu devenir l'une de ces chiennes qui se traînent en geignant dans le sillage de leur mâle, prêtes à subir les étreintes comme les coups, et à en redemander. Elle songeait à sa sœur, Yolande, que sa passion pour Malestrazza, l'hérétique [1], avait fini par rendre

---

1. Voir *Pèlerins des ténèbres,* du même auteur dans la même collection.

presque folle. Elle comptait bien se garder d'une pareille démence.

Elle ferma les yeux et s'endormit, une main posée sur son sexe irrité, en se demandant si elle était déjà enceinte.

CHAPITRE TRENTE-TROIS

Ils prirent l'habitude de faire l'amour à l'abri de la forêt, au cours des corvées de bois. Soudain, dans l'odeur de la sève et de la sciure, une brusque folie les saisissait de s'unir là, dans la tache de soleil d'une clairière. Marion encourageait le garçon à la chevaucher et le saisissait aux hanches. Hélas, le cuir des gants la frustrait toujours du contact de sa peau. Elle avait beau lécher la sueur sur le torse de Knut, ses doigts restaient ignorants de cette chair d'homme, jeune et pourtant couturée de cicatrices. Tailleuse de pierre, modeleuse de glaise, elle avait besoin d'appréhender le monde par le toucher. Ses doigts, ses paumes la renseignaient mieux que ses autres sens sur l'univers où elle évoluait, sur les objets qu'elle désirait connaître. Elle enrageait, elle souffrait de ne pouvoir découvrir Knut par le contact. Souvent, jadis, il lui était arrivé de céder au besoin de caresser un gisant de marbre, d'en apprécier le poli, d'en explorer les courbes... Artiste, elle n'était pas loin de voir dans le jeune Viking une statue ayant pris vie. Tout en lui était parfait, mais elle aurait voulu éprouver l'élasticité de sa chair, percevoir les fibres des muscles sous son épiderme, sentir rouler les tendons à l'attache des os. La machinerie du vivant la fascinait, l'emplissait d'une irrépressible gourmandise. Elle comprenait les sculpteurs hérétiques, qui, au risque de se damner, disséquaient les cadavres pour découvrir les secrets du corps humain. Elle aurait voulu apprendre par cœur la morphologie de son amant, la posséder sur le bout des doigts pour être capable de la modeler dans la glaise les yeux fermés. Elle avait besoin d'en faire une œuvre d'art, de le transformer en statue. Il y avait si longtemps qu'elle n'avait rien sculpté.

Son avidité, trop évidente, son goût de la chair mettaient Knut mal à l'aise.

« Il voit en moi une goule, songeait-elle amusée. Un succube qui se nourrit de la semence des jeunes mâles. »

L'attrait qu'elle exerçait sur lui tenait en grande partie à cette dimension noire de son personnage.

« Quand il saura qui je suis réellement, se disait-elle, il cessera aussitôt de me désirer. »

Pourtant, elle détestait lui mentir, jouer la comédie de la sorcière aux étreintes maléfiques. Il fallait mettre un terme à ce mensonge.

Un jour qu'ils étaient nus, face à face, au milieu des fourrés, elle lui tendit les mains, paumes tournées vers le ciel pour rendre plus apparents les nœuds marins qui fermaient les gants.

— Coupe-les ! ordonna-t-elle.

C'était imprudent mais elle n'en pouvait plus d'attendre. Le désir faisait battre le sang dans ses tempes, dans son sexe.

— Coupe ! répéta-t-elle.

Quelque chose passa dans le regard du garçon.

« Il s'imagine que c'est une provocation ! songea-t-elle. Il croit que je le défie. »

Il hésita. La peur dressa le duvet blond de ses

bras, puis il prit son couteau et trancha les lacets. En bon Viking il lui était impossible de se dérober.

Les défis se relevaient, toujours, ou alors c'est qu'on était un lâche...

« Je commets une erreur, pensa Marion. C'est stupide, je ne devrais pas... »

Mais elle était incapable de raisonner. Elle arracha les gants de cuir et libéra ses mains moites. Alors, pour la première fois, elle posa les paumes sur la poitrine de Knut. Il eut un spasme, et elle comprit qu'il s'était préparé à mourir. Il avait accepté le défi, il avait obéi à la sorcière française sans chercher d'échappatoire.

Elle en fut émue aux larmes.

Cette fois, c'est elle qui lui fit l'amour. Elle ne se lassait pas de le toucher, de le pétrir comme si elle modelait une effigie de glaise. C'était un homme de chair vive, et pourtant c'était son œuvre, sa chose en devenir. Pendant tout ce temps, il ne cessa de trembler tel un animal offert en sacrifice, attendant avec résignation l'instant où la magicienne déciderait de le changer en torche humaine...

Il mit longtemps à comprendre, et demeura foudroyé par la surprise, les yeux fixés sur les mains nues de Marion.

« Maintenant il va me mépriser, pensa-t-elle. Je suis redevenue une femme ordinaire comme il en a violé des dizaines au cours de ses expéditions sur les côtes normandes. »

Elle voulut lui expliquer l'erreur de Rök, l'obligation où elle avait été jetée de jouer la comédie pour survivre. Il détourna la tête, fuyant son regard, et se rhabilla sans un mot. Marion se tut, ravalant ses larmes.

Enfin, après avoir hésité, Knut s'agenouilla

devant elle et lui passa les gants de cuir. Ensuite, avec maladresse, il s'appliqua à renouer les lacets tranchés.

— Il faut être prudent, murmura-t-il. Ragnaar ne doit pas savoir. À aucun prix. Ce sera notre secret. Tu as compris ? Notre secret.

L'atmosphère s'alourdit dès le lendemain. Le malaise ne vint pas de Knut mais du vieux chef. Marion se demanda si Ragnaar n'avait pas profité de son sommeil pour venir examiner l'état des gants de cuir.

« S'il l'a fait, se dit-elle, il a dû s'apercevoir que les nœuds ne sont plus tout à fait les mêmes. Il a l'œil du marin... Il sait donc que j'ai enlevé les gants, contrairement à ma promesse. »

Était-ce grave ? Toute à sa joie de n'avoir pas été repoussée par Knut, elle ne prit pas le temps d'y réfléchir. Trop occupée à s'assurer qu'elle n'avait pas perdu la faveur de son amant, elle n'eut pas conscience du comportement étrange de Ragnaar, dont l'agitation et la mauvaise humeur allaient croissant.

Il arpentait la lande, scrutait le sol, battait les fougères avec une canne.

Un soir, il annonça :

— Il y a des vipères... beaucoup de vipères, ce n'est pas normal. Si vous ne prenez pas garde, elles vous mordront. (Il hocha la tête d'un air entendu avant d'ajouter :) Il n'y en avait pas avant... c'est nouveau. C'est un mauvais présage, il faudrait faire un sacrifice.

De ce jour, il se mit à traquer les serpents de l'aube au crépuscule. Il partait, équipé d'un sac et d'un bâton ferré de sa fabrication, pour fouetter les buissons, retourner les pierres. Le soir, il vidait sa besace sur le seuil de la maison, étalant avec un évident plaisir les reptiles qu'il avait tués. Il en ramenait un nombre étonnant, pour ne pas dire inquiétant : quinze, vingt... parfois trente.

« Nous n'avons pas eu de chance, pensa Marion. Nous nous sommes installés sur une terre à vipères, c'est pour ça que personne ne veut se joindre à nous. Les gens du coin doivent connaître le problème. »

La vue des serpents morts la faisait frissonner.

— Ça file, ça grouille, expliqua Ragnaar avec un caquètement malveillant. *Zuiiit, zuiiit...* entre les herbes. Ça file, ça grouille... Jamais je n'en avais vu autant. Elles rampent toutes dans la même direction. C'est comme si elles venaient de la montagne et se dirigeaient vers la maison. *Zuiiittt... zuittt...* faut avoir l'œil. Bientôt, elles passeront sous les portes et se glisseront dans les lits.

Avec la main, il mimait le déplacement sinueux des reptiles. Marion le trouva si odieux qu'elle dut résister à l'envie de lui briser une cruche sur la tête. En fait, elle avait peur. Elle voyait parfaitement où Ragnaar voulait en venir.

« Il est en train de nous dire que Wanaa nous envoie son avant-garde, songea-t-elle. Les serpents sont ses éclaireurs. Elle les avait lancés sur nos traces et ils nous ont localisés. Maintenant c'est elle qui va venir s'occuper de nous, en personne... »

Elle aurait voulu rejeter ces fadaises d'un haussement d'épaules, pourtant elle ne pouvait s'empêcher d'éprouver un pincement à l'estomac. La grande magicienne continuait à lui faire peur... à elle, comme à Knut ou à Bjorn... elle n'avait aucun mal à repérer la lueur de l'affolement dans les yeux des deux hommes. Aucun ne parvenait réellement à se convaincre que Ragnaar perdait la tête.

Elle jura entre ses dents. Voilà qu'ils allaient tous passer leur temps à scruter la montagne, maintenant !

Dans les jours qui suivirent, Marion tua une demi-douzaine de vipères aux abords immédiats du logis. Elle soupçonnait Ragnaar de les capturer sur la plaine pour les lâcher ici, sous son nez. Le vieillard s'abîmait des heures entières dans un état proche du somnambulisme. Telle une sentinelle gagnée par la démence, il arpentait la prairie, sa canne ferrée à la main. Il effrayait tant la jeune femme qu'elle commençait à le haïr au point de souhaiter sa mort prochaine.

« L'un de ces fichus serpents va bien finir par le piquer ! » se répétait-elle.

Le soir, avant de se coucher, chacun inspectait soigneusement sa paillasse. À deux reprises, Marion avait trouvé des serpents lovés sous son mince matelas d'herbe sèche. Chaque fois qu'elle déplaçait un objet, elle se tenait sur le qui-vive, s'attendant à voir jaillir une vipère, les crochets découverts.

Ragnaar se plantait de plus en plus souvent derrière elle pour chuchoter :

— Elle va venir. Ça ne tardera plus maintenant. Tu dois te tenir prête. (Du doigt, il désignait les gants de la jeune femme avant d'ajouter :) Tu accourras à mon signal et je te libérerai. Ensuite, tu n'auras qu'à aller à sa rencontre et à la toucher de tes doigts de feu. Il n'y a que toi qui puisses l'arrêter. Sorcière contre sorcière, c'est de cette manière que les choses se passeront. Elle est morte et tu es vivante, tu devrais normalement jouir d'un pouvoir supérieur au sien. En tout cas, tu es notre ultime rempart contre sa colère.

Il délirait, rongé par la démence sénile. Il lui arrivait d'oublier les noms des gens qui l'entouraient, ou de les confondre. Marion tremblait qu'une nuit, cédant à la folie, il ne vienne poignarder Knut en croyant frapper Rök. Elle dormait de moins en moins et restait aux aguets, attentive aux vipères comme aux déambulations de Ragnaar. Elle en voulait au vieil homme d'avoir corrompu son paradis.

Seules les corvées de bois lui permettaient d'échapper au climat d'angoisse pesant sur la maison. Elle accompagnait Knut au plus profond de la forêt, loin des deux vieillards. Ils s'attelaient chacun à un bras de la charrette fabriquée par le jeune Viking, et s'en allaient par les chemins tortueux, à la recherche de bois mort. Au hasard d'une clairière, d'un trou dans la végétation, ils faisaient l'amour. Quand Marion ôtait ses gants, Knut ne tressaillait plus. Il semblait avoir compris et admis que l'ymagière n'avait rien d'une magicienne.

Un après-midi, cependant, alors que la jeune femme, chevauchant le guerrier, s'attardait à caresser son torse, un bruit se fit entendre dans les buissons.

À la seconde même, Marion fut traversée par la certitude qu'il s'agissait de Ragnaar. Le vieux avait fini par se douter de quelque chose, il les avait suivis, il...

Elle se dressa pour scruter les alentours.

— Ce n'est rien, murmura Knut, un animal. Juste un animal.

Il avait sans doute raison, mais l'ymagière ne put se défaire de sa conviction première. *Le vieux...* Le vieux l'avait vue, dégantée, pétrissant à pleines paumes la chair de Knut.

« Maintenant il sait, se dit-elle. Il ne peut plus ignorer la vérité. »

Peut-être lui ficherait-il la paix ?

Elle se rhabilla et confia ses craintes au garçon : Ragnaar était fou, la cervelle rongée par la vieillesse et les remords, il fallait s'en méfier.

Knut haussa les épaules.

— Il va bientôt mourir, soupira-t-il. Sois patiente. C'était un grand chef, jadis. Je lui dois le respect.

Lorsqu'ils rentrèrent à la maison, Marion essaya vainement de surprendre une lueur révélatrice dans le regard de Ragnaar. Le vieux lui opposa son habituelle physionomie granitique.

Le lendemain, au cours de sa ronde à travers la lande, Ragnaar se persuada que des traces de pas convergeaient vers l'habitation.

Des marques de pieds nus, relevées dans la terre meuble. Des pieds de femme, affirmait-il.

— Il peut s'agir de n'importe qui, lui opposa Marion. Une fille du village voisin poussée par la curiosité. Elle est venue nous épier et...

Mais Ragnaar ne décolérait pas. Les empreintes, parfaitement moulées dans la glaise, avaient décalqué une certaine cicatrice en travers de la plante du pied droit. *Or Wanaa présentait une cicatrice analogue au même endroit.*

« Nous y voilà ! » soupira mentalement l'ymagière.

Elle ne se donna même pas la peine d'aller vérifier. Ragnaar avait probablement fabriqué ces traces lui-même, selon la technique mise au point par Rök. Ou bien c'était une farce de Bjorn qui se vengeait des punitions jadis infligées par le vieux chef en s'amusant à le terrifier !

Oui, à n'en pas douter, c'était un coup de Bjorn. Lui aussi voulait sa revanche. Ils ne pensaient tous qu'à ça ! Quel que fût leur âge !

Marion profita d'une absence de Ragnaar pour prendre l'ancien sculpteur à part et lui faire la leçon.

— Tu ne vois pas qu'il est fou ? lui dit-elle. Tu veux qu'il arrive un malheur ? Dans son état, il peut très bien s'en prendre à nous. Cesse de le tourmenter.

Bjorn prit son air le plus innocent et assura qu'il n'était pour rien dans les délires de Ragnaar. Marion ne le crut pas.

Bien décidée à éventer la supercherie, elle battit les buissons à la recherche des pieds de bois taillés par le sculpteur. Elle ne les trouva point. Elle ne put ignorer, en revanche, la présence des empreintes. Un beau travail de sculpture qui reproduisait à la perfection le modelé d'une voûte plantaire. La cicatrice était bien visible. Beaucoup trop au goût de Marion. Elle en voulut à Bjorn de jeter ainsi de l'huile sur le feu, c'était stupide.

Son exploration l'avait menée au bord de la falaise et, une fois de plus, elle se surprit à scruter la ligne d'horizon dans l'espoir de voir se dessiner les côtes de France.

Le découragement la saisit. Elle étouffait ici. Elle n'y serait jamais à sa place. De mauvais pressentiments l'agitaient. Les vagues se brisaient au pied de la paroi abrupte. C'était, lui avait expliqué Knut, un endroit dangereux. Un tourbillon incessant où les eaux se fracassaient et réduisaient les drakkars en miettes. Après avoir frappé la falaise, les vagues repartaient vers le large, emportant avec elles les pierres arrachées à la muraille. Un jour, tout ce pan de rocher s'effondrerait dans la mer, miné par les coups de boutoir des grandes déferlantes.

Marion frissonna. Le vent la giflait avec tant de puissance qu'elle avait l'illusion d'être nue dans la rafale.

Tout à coup, devinant une présence dans son dos, elle pivota sur ses talons. Ragnaar se tenait là, le visage sombre. De quel buisson, de quelle tanière sortait-il ?

— Je t'ai vue, dans la forêt, grommela-t-il. Tes mains sur Knut... *Tu n'es pas sorcière.* Tu n'es rien qu'une femme comme les autres. Tu ne nous seras d'aucune utilité. Tu nous as menti, depuis le début. J'avais confiance en toi, toute ma stratégie reposait sur ton pouvoir...

Brusquement, il détendit les bras, paumes ouvertes, frappant Marion à la hauteur des seins. La jeune femme fut projetée en arrière. Le bord de la falaise s'effrita sous ses pieds. Elle hurla en se sentant tomber mais le vent était si violent que son cri fut étouffé par la bourrasque.

Elle appela « Knut ! » mais il était déjà trop tard. Elle était en train de tourbillonner dans le vide et la paroi grise défilait sous ses yeux. Instinctivement, elle se raidit en prévision de son entrée dans l'eau. Le choc l'étourdit. Jamais elle n'aurait pensé que la mer puisse être aussi dure. Ce fut comme si elle crevait un mur liquide. Elle crut s'être brisé les jambes. Bien que mauvaise nageuse, elle s'appliqua à se maintenir à la surface en dépit de la terreur qui la paralysait. Les vagues la soulevaient dans les airs avant de l'aspirer de nouveau. Elle eut la certitude qu'elle allait mourir là, écrasée contre un rocher ou le cou rompu par les paquets de mer qui frappaient ses épaules avec la puissance d'une avalanche.

Enfin, le reflux la chassa vers le large. Elle ne pouvait pas lutter contre cette force immense qui aurait dû normalement la disloquer. Les bras écartés, elle battait l'écume, crachant l'eau qui lui emplissait la bouche.

Ses doigts touchèrent un bois flotté, une grosse

310

branche blanchie et polie par les frottements. Elle s'y accrocha et se laissa emporter vers la haute mer par les courants.

Les yeux brûlés par le sel, elle chercha la silhouette de Ragnaar au sommet de la falaise. Le vieux se tenait immobile, au bord du vide, suivant d'un œil attentif les péripéties de son agonie.

CHAPITRE TRENTE-QUATRE

Elle comprit vite qu'il lui serait impossible de rejoindre la côte à la nage. Le courant l'entraînant vers la haute mer était puissant, et elle était trop épuisée pour faire autre chose que se cramponner au morceau de bois blanchi de sel auquel elle devait d'avoir échappé à la noyade.

Elle dérivait, s'éloignant de Knut chaque minute un peu plus. Un brouillard de chaleur lui masquait en partie la falaise.

Elle flotta ainsi une heure durant, au gré des flux marins, puis une longue barque apparut, l'un de ces bateaux marchands que les Vikings appelaient *knorr*. Les matelots repêchèrent Marion. Ils appartenaient tous à la même famille et faisaient voile vers la Russie pour y troquer du miel et des fourrures.

Quand Marion les supplia de la conduire à terre, ils refusèrent tout net car ils n'avaient pas de temps à perdre. Ils n'acceptèrent pas davantage de lui céder un canot. Avec quoi l'aurait-elle payé?

Le chef de clan, un vieillard bougon, lui proposa de gagner son passage en travaillant à la cuisine. Il lui expliqua également qu'elle serait libre de faire commerce de ses charmes si elle voulait améliorer son ordinaire, mais qu'on ne la forcerait point.

Marion se demanda s'il n'avait pas l'intention de la vendre sur un quelconque marché d'esclaves une fois parvenus à destination. Elle se fit humble, et même lui proposa de lui procurer du plaisir s'il donnait l'ordre, ensuite, de la ramener à terre. Le vieux s'obstina à refuser. La marée était haute, les vents favorables, et les présages de bon augure. Sauver une vie au commencement d'un voyage leur vaudrait fortune et sécurité.

— Nous t'avons arrachée à la noyade, répétait-il. À présent, tu nous appartiens. Tu as une dette envers nous, tu disposeras de toute la durée du voyage pour t'en acquitter.

Une matrone jeta des vêtements secs à Marion et lui commanda de se changer sans attendre. La jeune femme obéit.

Un peu plus tard, alors qu'elle lui apportait un hanap d'hydromel, le chef fit admirer à sa prisonnière un curieux tube de cuivre dont il paraissait très fier.

— Cela s'appelle une longue-vue, déclara-t-il, je l'ai achetée à Venise. Aucun Viking n'en possède une semblable. Elle permet de rapprocher les choses lointaines. Il suffit de poser l'œil ici.

Comme il insistait, Marion braqua l'objet en direction de la terre, dans l'espoir de contempler une dernière fois le visage de Knut. Ses mains tremblantes éprouvaient quelque difficulté à faire la mise au point, aussi tourna-t-elle involontairement la lentille vers la montagne.

Aussitôt elle étouffa un cri de terreur et fit un pas en arrière, manquant de lâcher la longue-vue...

Une seconde, à travers les brumes noyant les premiers contreforts, il lui avait semblé apercevoir Wanaa.

Elle se tenait debout, à l'orée de la plaine, et marchait vers la maison, un collier de vipères autour du cou.

Mais sans doute s'agissait-il d'un mirage.

Ici s'achève la deuxième pérégrination de Marion des Pierres. Souhaitons-lui l'aventure qui s'annonce selon le Cœur de Dieu, afin qu'elle soit remplie de paix et de miséricorde.

Composition réalisée par EURONUMÉRIQUE

IMPRIMÉ EN ESPAGNE PAR LIBERDUPLEX
Dépôt légal Édit. : 32384-06/2003
LIBRAIRIE GÉNÉRALE FRANÇAISE - 43, quai de Grenelle - 75015 Paris.
ISBN : 2-253-17274-X